走进樱桃园，你能听见，
童年歌唱的声音。

打造品质图书　引领快乐阅读

YINGTAOYUAN
YANGHONGYING
ZHUYINTONGSHU

樱桃园·杨红樱注音童书

亲爱的笨笨猪

杨红樱/著

浙江出版联合集团　浙江少年儿童出版社

目 录 MULU

xiǎo zhū shàng xué
小猪上学 / 1

qiū qiān qiū qiān dàng qǐ lái
秋千秋千荡起来 / 13

qiǎo kè lì bǐng wū
巧克力饼屋 / 25

tiān lěng yào gài fáng
天冷要盖房 / 33

qī gè xiǎo táo qì
七个小淘气 / 47

bèn bèn zhū jiǎn féi
笨笨猪减肥 / 55

lù mèi mei nǐ dà dǎn de wǎng qián zǒu
鹿妹妹，你大胆地往前走 / 68

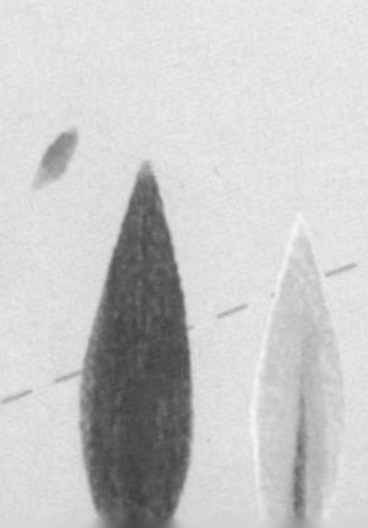

nǐ hǎo xiǎo huī láng
你好,小灰狼 / 81

qǐng dào huān lè cūn zhuāng lái
请到欢乐村庄来 / 96

hú li xiān sheng zhù jìn le huān lè cūn zhuāng
狐狸先生住进了欢乐村庄 / 110

huān lè de xué xiào
欢乐的学校 / 124

bèn bèn zhū qǔ xīn niáng
笨笨猪娶新娘 / 138

jī wài pó de lǐ wù
鸡外婆的礼物 / 153

huān lè shǐ zhě
欢乐使者 / 168

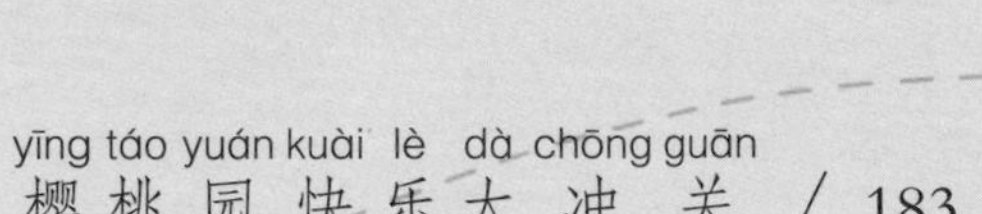

yīng táo yuán kuài lè dà chōng guān
樱桃园快乐大冲关 / 183

yīng táo yuán jù lè bù
樱桃园俱乐部 / 189

xiǎo zhū shàng xué
小猪上学

huān lè cūn zhuāng yǒu zhī huān lè de xiǎo zhū mā ma jiào
欢乐村庄有只欢乐的小猪，妈妈叫
tā lè lè lè
他“乐乐乐”。

huān lè de xiǎo zhū yào shàng xué le tā shàng de jiù shì
欢乐的小猪要上学了，他上的就是
huān lè cūn zhuāng de huān lè xué xiào
欢乐村庄的欢乐学校。

xiǎo zhū měi tiān shuì lǎn jiào kě shì kāi xué nà yī tiān
小猪每天睡懒觉。可是开学那一天，
lín jū hóng gōng jī gāng chàng dì yī biàn gē mā ma jiù jiào tā
邻居红公鸡刚唱第一遍歌，妈妈就叫他
qǐ chuáng le tā de yǎn jing réng rán méi yǒu zhēng kāi hū lu
起床了。他的眼睛仍然没有睁开，呼噜
dǎ de hái shi nà me xiǎng yī zhí dào tā mā ma bǎ rè qì téng
打得还是那么响。一直到他妈妈把热气腾

téng de yù mǐ hú hu tāng duān dào tā de bí zi xià tā cái yī
腾的玉米糊糊汤端到他的鼻子下，他才一
xià zi zhēng kāi le yǎn jing
下子睁开了眼睛。

xiǎo zhū bǎ tóu mái jìn miàn pén li xī li hū lū de hē
小猪把头埋进面盆里，稀里呼噜地喝
guāng le yù mǐ hú hu tāng hái chī le bā gè dà bái mán tou
光了玉米糊糊汤，还吃了八个大白馒头，
cái bēi qǐ shū bāo shàng xué qù
才背起书包上学去。

lè lè lè chī bǎo le hǎo kuài lè bēi zhe shū bāo
“乐乐乐，吃饱了，好快乐，背着书包
shàng xué le
上学了！”

xiǎo zhū yī lù
小猪一路
zǒu yī lù chàng
走，一路唱，
zǒu dào xué xiào mén
走到学校门
kǒu tā de dù zi
口，他的肚子
yòu è le zuò zài
又饿了。坐在
jiào shì li tā yòu
教室里，他又
xiǎng shuì le
想睡了。

第一节是语文课，语文老师是鼎鼎有名的语言大师绿鹦鹉。她说要学好语文，首先要学好拼音。于是，鹦鹉老师开始教拼音的第一个字母，她在黑板上写了一个大大的“a”。

鹦鹉老师张开她的钩钩嘴，又响又亮地叫了一声：“啊——”

全班同学都张大嘴，又响又亮地叫了一声：“啊——”

“很好。”鹦鹉老师侧着头，“不过，只有一个同学念错了，他念的是‘咕——’，这是谁呢？”

鹦鹉老师开始抽读。猫咪咪、狗汪汪、乖乖熊，还有白兔姐妹都念得很好。

a o e

xiǎo zhū nǐ lái niàn
“小猪，你来念。”

xiǎo zhū zhāng dà zuǐ ba niàn ā kě shì
小猪张大嘴巴，念：“啊——”可是，
dù zi què jiào le yī shēng gū tā dù zi è le
肚子却叫了一声“咕——”，他肚子饿了。

nǐ niàn qīng chu yīng wǔ lǎo shī zhǐ zhe hēi bǎn shang
“你念清楚！”鹦鹉老师指着黑板上
de zhè ge zì mǔ dào dǐ shì niàn ā hái
的“a”，“这个字母到底是念‘啊——’，还
shi niàn gū
是念‘咕——’？”

xiǎo zhū zhāng dà zuǐ ba zhèng yào niàn ā tǎo yàn
小猪张大嘴巴，正要念“啊”，讨厌
de dù zi què xiān jiào le gū gū
的肚子却先叫了，“咕，咕——”

hōng de yī shēng quán bān tóng xué dōu xiào le
“哄”的一声，全班同学都笑了。

yīng wǔ lǎo shī yáo zhe tóu xiǎo zhū xiǎo zhū nǐ zhēn
鹦鹉老师摇着头：“小猪小猪，你真
bèn
笨。”

xiǎo zhū de liǎn hóng le tā bù hǎo yì si de pā zài zhuō
小猪的脸红了，他不好意思地趴在桌
shang hái bù dào yī fēn zhōng biàn shuì zháo le
上，还不到一分钟，便睡着了。

guò le yī huìr tā mó mó hū hū de tīng jiàn yīng wǔ
过了一会儿，他模模糊糊地听见鹦鹉

lǎo shī zài jiào tā
老师在叫他。

xiǎo zhū zhè ge zì mǔ niàn shén me
“小猪，这个字母念什么？”

xiǎo zhū shǐ jìn zhēng kāi yǎn jing zhàn le qǐ lái tā
小猪使劲睁开眼睛，站了起来。他
kàn jiàn hēi bǎn shang xiě zhe gè dà dà de biàn niàn
看见黑板上写着个大大的“O”，便念
dào bǐng
道：“饼——”

hōng de yī shēng quán bān tóng xué yòu xiào le
“哄”的一声，全班同学又笑了。

yīng wǔ lǎo shī liǎng yǎn dèng zhe tā niàn cuò le zài
鹦鹉老师两眼瞪着他：“念错了，再
niàn
念。”

xiǎo zhū yòu niàn dào dàn
小猪又念道：“蛋——”

tóng xué men xiào téng le dù zi yīng wǔ lǎo shī yě xiào de
同学们笑疼了肚子，鹦鹉老师也笑得
quán shēn dǒu gè bù tíng
全身抖个不停。

yǔ wén kè shàng bù xià qù le
语文课上不下去了。

dì èr jié kè shì suàn shù kè suàn shù lǎo shī shì dǐng
第二节课是算术课，算术老师是鼎
dǐng yǒu míng de shù xué bó shì hēi xīng xing xīng xing lǎo shī shuō
鼎有名的数学博士黑猩猩。猩猩老师说，

xué suàn shù jiù yào cóng rèn shi shù zì kāi shǐ
学算术就要从认识数字“1”开始。

xīng xing lǎo shī zài hēi bǎn shang xiě le gè dà dà de wèn dào shéi zhī dào zhè shì shén me
猩猩老师在黑板上写了个大大的“1”，问道：“谁知道，这是什么？”

wǒ zhī dào xiǎo zhū dà shēng shuō zhè shì hú luó bo
“我知道！”小猪大声说，“这是胡萝卜。”

bù duì nǐ zài xiǎng xiǎng zhè shì shén me
“不对，你再想想，这是什么？”

shì táng gùnr ba
“是糖棍儿吧？”

xīng xing lǎo shī zhòu le zhòu méi tóu xiǎo zhū a xiǎo zhū nǐ zěn mo lǎo xiǎng dào chī ne gào su nǐ zhè shì
猩猩老师皱了皱眉头：“小猪啊小猪，你怎么老想到吃呢？告诉你，这是‘1’。”

ò hú luó bo shì táng gùnr yě shì xiǎo zhū jì zhù le
哦，胡萝卜是“1”，糖棍儿也是“1”。小猪记住了。

wǒ zài wèn nǐ děng yú jǐ
“我再问你：‘1＋1’等于几？”

xiǎo zhū yáo yáo tóu
小猪摇摇头。

xīng xing lǎo shī jí yǒu nài xīn zhè ge tí de yì si
猩猩老师极有耐心："这个题的意思
shì nǐ mā ma xiān gěi le nǐ yī gè píng guǒ hòu lái yòu gěi
是：你妈妈先给了你一个苹果，后来又给
le nǐ yī gè píng guǒ nǐ yī gòng yǒu jǐ gè píng guǒ
了你一个苹果，你一共有几个苹果？"

zhè xià xiǎo zhū tīng míng bai le tā dà shēng huí dá shuō
这下小猪听明白了，他大声回答说：
wǒ méi yǒu píng guǒ le
"我没有苹果了。"

zěn me huì méi yǒu píng guǒ le ne
"怎么会没有苹果了呢？"

mā ma xiān gěi wǒ yī gè píng guǒ wǒ chī le hòu
"妈妈先给我一个苹果，我吃了；后
lái yòu gěi le wǒ yī gè píng guǒ wǒ yě chī le suǒ yǐ
来，又给了我一个苹果，我也吃了。所以，
wǒ yī gè píng guǒ yě méi yǒu le
我一个苹果也没有了。"

xiǎo zhū yǐ wéi zì jǐ huí dá de hěn piào liang tā xǐ zī
小猪以为自己回答得很漂亮，他喜滋
zī de wàng zhe xīng xing lǎo shī xī wàng tā néng kuā zì jǐ shì
滋地望着猩猩老师，希望他能夸自己是

yī zhī cōng míng de xiǎo zhū méi xiǎng dào xīng xing lǎo shī de bí
一只聪明的小猪。没想到猩猩老师的鼻
zi dōu qì wāi le xiǎo zhū a xiǎo zhū wǒ cóng lái méi yǒu jiāo
子都气歪了："小猪啊小猪，我从来没有教
guo xiàng nǐ zhè me bèn de xué sheng
过像你这么笨的学生。"

dì sān jié kè shì yóu xì kè wán zhuō mí cáng de yóu
第三节课是游戏课，玩捉迷藏的游
xì lǎo shī zài gǒu wāng wāng de yǎn jing shang méng le yī tiáo
戏。老师在狗汪汪的眼睛上蒙了一条
shǒu pà ràng dà huǒr cáng zài yī gè dà shù dòng li
手帕，让大伙儿藏在一个大树洞里。

xiǎo zhū hū chī hū chī de chuǎn zhe qì māo mī mī
小猪"呼哧呼哧"地喘着气，猫咪咪
gǎn jǐn wǔ zhù tā de zuǐ nǐ chū qì qīng yī diǎn zhè ge
赶紧捂住他的嘴："你出气轻一点，这个
dòng hěn yǐn bì gǒu wāng wāng shì zhǎo bù dào wǒ men de
洞很隐蔽，狗汪汪是找不到我们的。"

gǒu wāng wāng hěn cōng míng tā bìng méi yǒu dào chù qù
狗汪汪很聪明，他并没有到处去
zhǎo tā zhǐ zhuàn le xià yǎn zhū biàn xiǎng chū le yī gè hǎo
找，他只转了下眼珠，便想出了一个好
zhǔ yi
主意。

gǒu wāng wāng dà shēng wèn dào nǐ men cáng hǎo le ma
狗汪汪大声问道："你们藏好了吗？"

cáng hǎo le
"藏——好——了！"

gǒu wāng wāng xiào le tā tīng chū lái zhè shì nà zhī bèn
狗汪汪笑了。他听出来这是那只笨
xiǎo zhū de shēng yīn tā xún zhe shēng yīn de fāng xiàng zhǎo dào
小猪的声音。他循着声音的方向，找到
nà ge shù dòng bǎ cáng zài lǐ miàn de xiǎo zhū māo mī mī
那个树洞，把藏在里面的小猪、猫咪咪、
guāi guāi xióng hé bái tù jiě mèi dōu dǎi zhù le māo mī mī yī
乖乖熊和白兔姐妹都逮住了。猫咪咪一
biān cóng dòng li zuān chū lái yī biān bào yuàn dōu guài nǐ
边从洞里钻出来，一边抱怨："都怪你，
bèn bèn zhū
笨笨猪！"

bái tù jiě mèi duì xiǎo zhū shuō jīn hòu wǒ men dōu jiào
白兔姐妹对小猪说："今后，我们都叫
nǐ bèn bèn zhū hǎo la
你'笨笨猪'好啦。"

xiǎo zhū jué de hěn wěi qu gǒu wāng wāng wèn wǒ men
小猪觉得很委屈："狗汪汪问我们
cáng hǎo méi yǒu wǒ huí dá cáng hǎo le zhè yǒu shén me cuò
藏好没有，我回答藏好了，这有什么错？
bù guò nǐ men yuàn yì jiào wǒ bèn bèn zhū jiù jiào hǎo la wǒ
不过你们愿意叫我笨笨猪，就叫好啦，我
yě bù fǎn duì
也不反对。"

xiàn zài lún dào bèn bèn zhū qù zhuō dà jiā le lǎo shī
现在，轮到笨笨猪去捉大家了。老师
bǎ bèn bèn zhū de yǎn jing méng qǐ lái děng dà huǒr dōu cáng
把笨笨猪的眼睛蒙起来，等大伙儿都藏

hǎo le cái bǎ tā de yǎn jing fàng kāi
好了，才把他的眼睛放开。

bèn bèn zhū yě xué gǒu wāng wāng gāo shēng wèn dào nǐ
笨笨猪也学狗汪汪，高声问道：“你
men cáng hǎo le ma
们藏好了吗？”

méi yǒu shéi huí dá bèn bèn zhū xiǎng tā men yī dìng hái
没有谁回答。笨笨猪想他们一定还
méi yǒu cáng hǎo
没有藏好。

guò le yī huìr tā yòu wèn nǐ men cáng hǎo le
过了一会儿，他又问：“你们藏好了
ma
吗？”

hái shi méi yǒu shéi huí dá
还是没有谁回答。

gǒu wāng wāng xiǎo shēng shuō bèn bèn zhū yǐ wéi wǒ men
狗汪汪小声说：“笨笨猪以为我们
huì xiàng tā nà yàng bèn qù huí dá cáng hǎo
会像他那样笨，去回答‘藏——好——
le
了’！”

xī xī xī māo mī mī hé bái tù jiě mèi
“嘻嘻嘻！”猫咪咪和白兔姐妹
dōu xiǎo shēng de xiào le
都小声地笑了。

kuài zhōng wǔ le bèn bèn zhū de dù zi
快中午了，笨笨猪的肚子

hěn è hěn è le xiàng wǎng cháng nà yàng dù zi è le bèn
很饿很饿了。像往常那样，肚子饿了，笨

bèn zhū jiù yào huí jiā zhǎo mā ma le
笨猪就要回家找妈妈了。

nǐ men cáng hǎo le ma bèn bèn zhū yī biān gāo shēng
“你们藏好了吗？”笨笨猪一边高声

wèn yī biān xiàng jiā li zǒu qù
问，一边向家里走去。

bèn bèn zhū bā dā bā dā de chī le yī dà guō bái
笨笨猪“吧嗒吧嗒”地吃了一大锅白

mǐ fàn chī le yī dà guō dùn luó bo rán hòu yī jiào shuì dào
米饭，吃了一大锅炖萝卜，然后一觉睡到

tài yáng luò shān
太阳落山。

gǒu wāng wāng māo mī mī hé guāi guāi xióng bái tù jiě
狗汪汪、猫咪咪和乖乖熊、白兔姐

mèi hái cáng zài nà lǐ tā men dōu shuō bèn bèn zhū zhēn shi bèn
妹还藏在那里。他们都说笨笨猪真是笨，

zhǎo le dà bàn tiān dōu méi yǒu bǎ tā men zhǎo dào tā men zhǐ
找了大半天，都没有把他们找到。他们只

hǎo zì jǐ cóng cáng shēn de dì fang zǒu chū lái
好自己从藏身的地方走出来。

qiū qiān qiū qiān dàng qǐ lái
秋千秋千荡起来

chūn tiān li huān lè cūn zhuāng de xiǎo huǒ bàn men tiān tiān zài yī qǐ wánr

春天里，欢乐村庄的小伙伴们天天在一起玩儿。

zhè tiān shuì guo wǔ jiào guāi guāi xióng yòu lái zhǎo bèn bèn zhū

这天，睡过午觉，乖乖熊又来找笨笨猪。

jīn tiān wǒ men wán shén me guāi guāi xióng yī biān róu yǎn jing yī biān wèn dào

“今天我们玩什么？”乖乖熊一边揉眼睛，一边问道。

wèn tā men ba bèn bèn zhū zhǐ zhe shēn páng de gǒu wāng wāng māo mī mī hé bái tù jiě mèi tā men xǐ huan wán

“问他们吧！”笨笨猪指着身旁的狗汪汪、猫咪咪和白兔姐妹，“他们喜欢玩

shén me wǒ jiù wán shén me
什么，我就玩什么。”

wǒ men qù lín zi li zhuō mí cáng ba māo mī mī
“我们去林子里捉迷藏吧！”猫咪咪
qiǎng zhe shuō
抢着说。

bù hǎo bù hǎo gǒu wāng wāng zài rèn hé shí hou dōu
“不好，不好！”狗汪汪在任何时候都
shì fǎn duì māo mī mī de wǒ men hái shi dào huā yuán li qù
是反对猫咪咪的，“我们还是到花园里去
sàn bù ba
散步吧！”

dōu bù hǎo bái tù jiě jie shuō jīn tiān de tiān
“都不好！”白兔姐姐说，“今天的天
qì zhè me hǎo bù qù dàng qiū qiān cái shì shǎ guā ne
气这么好，不去荡秋千才是傻瓜呢！”

shéi yě bù yuàn yì dāng shǎ guā tā men sā tuǐ jiù wǎng
谁也不愿意当傻瓜。他们撒腿就往
cǎo dì shang pǎo gǒu wāng wāng māo mī mī hé bái tù jiě mèi
草地上跑。狗汪汪、猫咪咪和白兔姐妹
pǎo zài qián miàn bèn bèn zhū hé guāi guāi xióng là zài hòu miàn
跑在前面，笨笨猪和乖乖熊落在后面。

cǎo dì shang yǒu yī kē dà shù cū zhuàng de zhī gàn
草地上，有一棵大树，粗壮的枝干
shang diào zhe qiū qiān pǎo zài qián miàn de dōu lā zhe qiū qiān zhēng
上吊着秋千。跑在前面的都拉着秋千争
zhe yào xiān dàng shéi yě bù ràng shéi bèn bèn zhū jiàn le shuō
着要先荡，谁也不让谁。笨笨猪见了，说：

nǐ men dōu shàng qù wǒ lái tuī
“你们都上去，我来推。”

xiǎo huǒ bàn men bù zhēng le què dōu bù hǎo yì si shàng qù
小伙伴们不争了，却都不好意思上去。

shàng qù ba shàng qù ba wǒ de jìnr dà zhe ne
“上去吧，上去吧，我的劲儿大着呢！”

xiǎo huǒ bàn men āi gèr shàng qù zhàn hǎo
小伙伴们挨个儿上去站好。

bèn bèn zhū zhàn kāi yī diǎnr xiàng gè dà lì shi nà yàng dà hè yī shēng hāi tā shǐ chū quán shēn de qì lì bǎ qiū qiān tuī qǐ lái le
笨笨猪站开一点儿，像个大力士那样大喝一声“嗨”，他使出全身的气力，把秋千推起来了。

qiū qiān gāo gāo de dàng qǐ lái xiǎo huǒ bàn men wèi bèn bèn zhū hǎn zhe kǒu lìng
秋千高高地荡起来。小伙伴们为笨笨猪喊着口令：

yī èr sān dàng qiū qiān
“一二三，荡秋千！”

yī èr sān shàng lán tiān
“一二三，上蓝天！”

bèn bèn zhū tuī de gèng huān le qiū qiān yě
笨笨猪推得更欢了，秋千也

dàng de gèng gāo le
荡得更高了。

tā men wán gòu le xià lái ràng bèn bèn zhū shàng qù
他们玩够了，下来让笨笨猪上去
dàng
荡。

bèn bèn zhū zhàn zài qiū qiān shang xiǎo huǒ bàn men yī qí
笨笨猪站在秋千上，小伙伴们一齐
yòng lì tuī kě nà qiū qiān zhǐ shì qīng qīng de huàng dòng le yī
用力推，可那秋千只是轻轻地晃动了一
xià jiù bù dòng le
下，就不动了。

zěn me zhè yàng
“怎么这样
chén ya
沉呀？”

tā men qí
他们齐
xīn xié lì yòu
心协力，又
lián tuī le jǐ
连推了几
cì qiū qiān zhōng
次，秋千终
yú dàng qǐ lái
于荡起来，
yuè dàng yuè gāo
越荡越高。

fēng zài ěr biān hū hū de chuī bèn bèn zhū de dà ěr
风在耳边“呼呼”地吹，笨笨猪的大耳
duo xiàng yī duì chì bǎng dàng guò qù hū shan hū shan dàng
朵像一对翅膀，荡过去，呼扇呼扇；荡
guò lái hū shan hū shan
过来，呼扇呼扇……

wǒ fēi shàng tiān la nǐ men dōu biàn xiǎo le xiàng xiǎo
“我飞上天啦！你们都变小了，像小
mǎ yǐ yī yàng xiǎo
蚂蚁一样小……”

bèn bèn zhū zhǐ gù gāo xìng de dà hǎn dà jiào méi xiǎng dào
笨笨猪只顾高兴地大喊大叫，没想到
yī xià zi diē luò zài dì shang
一下子跌落在地上。

āi yō wǒ de pì gu
“哎哟，我的屁股……”

zěn me huí shì dà huǒr wéi lǒng lái yuán lái shì
“怎么回事？”大伙儿围拢来，原来是
bèn bèn zhū bǎ qiū qiān de mù cǎi bǎn yā duàn le
笨笨猪把秋千的木踩板压断了。

ài māo mī mī yáo zhe tóu shuō dōu guài nǐ tài
“唉！”猫咪咪摇着头说，“都怪你太
pàng le
胖了！”

zhè cì gǒu wāng wāng yě tóng yì māo mī mī de yì jiàn
这次狗汪汪也同意猫咪咪的意见：
shuō de duì bèn bèn zhū yīng gāi jiǎn féi le
“说得对，笨笨猪应该减肥了。”

bái tù jiě mèi wú bǐ wǎn xī de shuō wǒ men jīn hòu
白兔姐妹无比惋惜地说："我们今后
zài yě wán bù chéng qiū qiān le
再也玩不成秋千了。"

dàng qiū qiān kě shì bái tù jiě mèi liǎ zuì xǐ huan wán de
荡秋千可是白兔姐妹俩最喜欢玩的
yóu xì
游戏。

nǐ men zài zhè lǐ děng zhe bèn bèn zhū gēn wǒ zǒu
"你们在这里等着，笨笨猪跟我走！"

guāi guāi xióng yī liù yān pǎo le bèn bèn zhū fān shēn pá
乖乖熊一溜烟跑了，笨笨猪翻身爬
qǐ lái pāi pāi pì gu zhuī le shàng qù
起来，拍拍屁股，追了上去。

guò le yī huìr guāi guāi xióng hé bèn bèn zhū tuī zhe
过了一会儿，乖乖熊和笨笨猪推着
yī zhāng dài lún zi de dà shā fā guò lái le
一张带轮子的大沙发过来了。

guāi guāi xióng shuō wǒ men bǎ tā diào zài shù shang zuò
乖乖熊说："我们把它吊在树上做
qiū qiān bèn bèn zhū jiù bù huì bǎ tā yā duàn le
秋千，笨笨猪就不会把它压断了。"

tā men yī qǐ dòng shǒu yòng cháng shéng zi bǎ shā fā
他们一起动手，用长绳子把沙发
diào zài shù gàn shang yī gè dà qiū qiān zuò chéng le
吊在树干上，一个大秋千做成了。

hái shi nǐ men shàng qù wǒ lái tuī ba bèn bèn zhū
"还是你们上去，我来推吧！"笨笨猪

bā bu de yǒu zhè yàng yī gè jī huì jiāng gōng shú zuì
巴不得有这样一个机会“将功赎罪”。

qiū qiān yòu dàng qǐ lái le
秋千又荡起来了。

zhè ge qiū qiān bǐ gāng cái nà ge hái hǎo māo mī
“这个秋千比刚才那个还好！”猫咪
mī mī zhe yǎn jing shuō yīn wèi fēng chuī de tā de yǎn jing zhēng
咪眯着眼睛说，因为风吹得她的眼睛睁
bù kāi
不开。

gǒu wāng wāng yòu hé tā tái qǐ gàng lái zhè nǎ lǐ
狗汪汪又和她抬起杠来：“这哪里
shì qiū qiān míng míng shì fēi yǐ ma
是秋千，明明是飞椅嘛。”

bái tù jiě mèi jǐn jǐn yī wēi zài yī qǐ kào zài shā fā
白兔姐妹紧紧依偎在一起，靠在沙发
fú shǒu shang shuì zháo le tā men jué de zhè qiū qiān duō me xiàng
扶手上睡着了，她们觉得这秋千多么像
mā ma de yáo lán a
妈妈的摇篮啊！

bèn bèn zhū nǐ yě shàng lái ba guāi guāi xióng pāi
“笨笨猪，你也上来吧！”乖乖熊拍
pāi shēn biān de yī kuài kòng dì fang hái gěi nǐ liú zhe yī gè
拍身边的一块空地方，“还给你留着一个
wèi zi ne
位子呢！”

hǎo wǒ lái la bèn bèn zhū zuò hǎo le zhǔn bèi
“好，我来啦！”笨笨猪做好了准备。

dāng dà shā fā dàng guò lái shí bèn bèn zhū tiào le shàng
当大沙发荡过来时，笨笨猪跳了上

qù hái méi děng tā zuò xià lái diào dà shā fā de shéng
去——还没等他坐下来，吊大沙发的绳

zi duàn le dà shā fā fēi le chū qù wěn wěn de jiàng luò zài
子断了，大沙发飞了出去，稳稳地降落在
cǎo dì biān de mǎ lù shang
草地边的马路上。

zhè zhèng shì yī duàn xià pō lù dà shā fā xiàng yī liàng
这正是一段下坡路。大沙发像一辆
shā chē shī líng de qì chē zài mǎ lù shang fēi chí zhe
刹车失灵的汽车，在马路上飞驰着。

shā fā shang bái tù jiě mèi hái zài mèng xiāng li māo
沙发上，白兔姐妹还在梦乡里；猫
mī mī zǎo jiù xià de jiān jiào yī shēng yūn le guò qù gǒu wāng
咪咪早就吓得尖叫一声，晕了过去。狗汪
wāng shǐ jìn bì shàng yǎn guāi guāi xióng què bǎ yǎn jing dèng de
汪使劲闭上眼，乖乖熊却把眼睛瞪得
liū yuán tā men liǎ dōu bù zhī dào jiāng yào fā shēng shén me shì
溜圆，他们俩都不知道将要发生什么事
qing
情。

zhǐ yǒu bèn bèn zhū zài shǒu wǔ zú dǎo de dà hǎn dà jiào
只有笨笨猪在手舞足蹈地大喊大叫。
tā jué de zhè shā fā tài qí miào le huì cóng shù shang fēi xià
他觉得这沙发太奇妙了，会从树上飞下
lái biàn chéng qì chē ér qiě tā cóng lái méi zuò guo kāi de zhè
来变成汽车，而且他从来没坐过开得这
yàng kuài de qì chē
样快的汽车。

tū rán qián fāng chū xiàn le yī gè rén bào zhe yī dà
突然，前方出现了一个人，抱着一大

duī dōng xi
堆东西。

tíng chē tíng chē bèn bèn zhū chuí zhe shā fā kě shā
“停车！停车！”笨笨猪捶着沙发，可沙
fā gēn běn bù tīng shǐ huan zhí cháo nà ge rén chōng qù
发根本不听使唤，直朝那个人冲去。

pēng dà shā fā bǎ nà ge rén zhuàng dǎo le tā
“砰！”大沙发把那个人撞倒了，她
bào zhe de dōng xi yě sàn luò yī dì
抱着的东西也散落一地。

nǐ men shì zěn me kāi chē de
“你们是怎么开车的？”

bái tù jiě mèi cóng mèng xiāng li huí lái le māo mī mī
白兔姐妹从梦乡里回来了，猫咪咪
xǐng guò lái le gǒu wāng wāng hé guāi guāi xióng yě huí guò shén lái
醒过来了，狗汪汪和乖乖熊也回过神来
le bèn bèn zhū zhè shí què jīng dāi le bèi zhuàng dǎo de
了。笨笨猪这时却惊呆了——被撞倒的
shì guāi guāi xióng de mā ma
是乖乖熊的妈妈。

zhè shì zěn me huí shì xióng mā ma hěn shēng qì
“这是怎么回事？”熊妈妈很生气。

dōu guài bèn bèn zhū tài pàng le
“都怪笨笨猪太胖了。”

xiǎo huǒ bàn men yì kǒu tóng shēng dōu zhè me huí dá
小伙伴们异口同声都这么回答。

xióng mā ma bù míng bai bèn bèn zhū tài pàng le gēn
熊妈妈不明白笨笨猪太胖了，跟

zhuàng dǎo tā yǒu shén me guān xì tā fā xiàn zhuàng tā de bù
撞倒她有什么关系。她发现撞她的不
shì qì chē ér shì yī zhāng dài lún zi de dà shā fā zhè bù
是汽车，而是一张带轮子的大沙发，这不
shì tā jiā li de nà zhāng dà shā fā ma
是她家里的那张大沙发吗？

xióng mā ma yī xià zi bù shēng qì le tā xiào mī mī
熊妈妈一下子不生气了，她笑眯眯
de shuō yuán lái nǐ men shì lái jiē wǒ de zhēn huì xiǎng bàn
地说：“原来你们是来接我的，真会想办
fǎ
法。”

xióng mā ma nín zuò shàng lái wǒ bǎ
“熊妈妈，您坐上来，我把
nín tuī huí qù
您推回去。”

bèn bèn zhū bǎ xióng mā ma fú dào shā fā
笨笨猪把熊妈妈扶到沙发
shang yòu bǎ sǎn zài dì shang de dà dà xiǎo xiǎo
上，又把散在地上的大大小小
de hé zi jiǎn qǐ lái fàng zài tā shēn biān tuī
的盒子捡起来，放在她身边，推
zhe jiù zǒu
着就走。

dāng nà jǐ gè xiǎo huǒ bàn hái nào bù míng
当那几个小伙伴还闹不明
bai shì zěn me huí shì de shí hou bèn bèn zhū yǐ
白是怎么回事的时候，笨笨猪已

jīng tuī zhe xióng mā ma zǒu yuǎn le
经推着熊妈妈走远了。

xióng mā ma nín mǎi zhè me duō de lǐ wù sòng gěi shéi
"熊妈妈，您买这么多的礼物送给谁
ya
呀？"

míng tiān shì guāi guāi xióng de shēng rì zhè shì gěi tā
"明天是乖乖熊的生日，这是给他
mǎi de shēng rì lǐ wù xióng mā ma shuō hǎo hái zi duō
买的生日礼物。"熊妈妈说，"好孩子，多
kuī nǐ men lái jiē wǒ bù rán wǒ bào zhe zhè me duō dōng xi
亏你们来接我，不然我抱着这么多东西，
bù zhī shá shí hou cái huí de liǎo jiā
不知啥时候才回得了家！"

xióng mā ma wǒ men bù shì lái jiē nín de bèn bèn
"熊妈妈，我们不是来接您的。"笨笨
zhū cóng bù shuō huǎng huà shì nín jiā zhè zhāng dài lún zi
猪从不说谎话，"是您家这张带轮子
de dà shā fā bǎ wǒ men zài dào zhèr lái de
的大沙发，把我们载到这儿来的。"

ǎ xióng mā ma tīng hú tu le
"啊？"熊妈妈听糊涂了。

bèn bèn zhū yě hú tu le tā zhēn de bù zhī dào
笨笨猪也糊涂了——他真的不知道
zhè shì zěn me yī huí shì
这是怎么一回事……

qiǎo kè lì bǐng wū
巧克力饼屋

guāi guāi xióng de mā ma yào dào wài pó jiā qù zhù jǐ
乖乖熊的妈妈要到外婆家去住几
tiān tā zuò le hǎo duō hǎo duō qiǎo kè lì bǐng gòu guāi guāi xióng
天。她做了好多好多巧克力饼，够乖乖熊
chī jǐ tiān de
吃几天的。

guāi guāi xióng qǐng bèn bèn zhū lái gěi tā zuò bàn
乖乖熊请笨笨猪来给他做伴。

kàn jiàn duī chéng xiǎo shān yī yàng de qiǎo kè lì bǐng bèn
看见堆成小山一样的巧克力饼，笨
bèn zhū jiào dào
笨猪叫道：

wā zhè me duō de qiǎo kè lì bǐng duō de kě yǐ gài
“哇，这么多的巧克力饼，多得可以盖
yī zuò fáng zi le
一座房子了。”

hēi guāi guāi xióng pāi zhe tā ròu dūn dūn de xióng
“嘿！”乖乖熊拍着他肉墩墩的熊
zhǎng wǒ men wèi shén me bù yòng zhè xiē qiǎo kè lì bǐng gài
掌，“我们为什么不用这些巧克力饼盖
yī zuò fáng zi ne
一座房子呢？”

xiǎo xióng jiā hòu miàn yǒu yī piàn shù lín guāi guāi xióng hé
小熊家后面有一片树林。乖乖熊和
bèn bèn zhū bǎ qiǎo kè lì bǐng yùn dào lín zi li jiāng hòu hòu de
笨笨猪把巧克力饼运到林子里，将厚厚的
qiǎo kè lì bǐng dàng zuò zhuān yòng áo huà le de qiǎo kè lì bǎ
巧克力饼当做砖，用熬化了的巧克力把
tā men yī kuài yī kuài de qì qǐ lái qì le sì sì fāng fāng de
它们一块一块地砌起来，砌了四四方方的
qiáng jiāng báo báo de qiǎo kè lì bǐng dàng zuò wǎ yī piàn yī
墙；将薄薄的巧克力饼当做瓦，一片一
piàn chóng chóng dié dié de gài zài wū dǐng shang
片，重重叠叠地盖在屋顶上。

yòng wán zuì hòu yī kuài qiǎo kè lì bǐng qiǎo kè lì bǐng
用完最后一块巧克力饼，巧克力饼
wū yě jiù gài hǎo le
屋也就盖好了。

zhè shì yī zuò duō me qí tè de xiǎo wū a zhěng gè
这是一座多么奇特的小屋啊！整个
lín zi li dōu mí màn zhe qiǎo kè lì nóng nóng de tián xiāng wèir
林子里都弥漫着巧克力浓浓的甜香味儿。

guāi guāi xióng hé bèn bèn zhū shuō bù chū yǒu duō me xǐ huan
乖乖熊和笨笨猪说不出有多么喜欢

zhè zuò qiǎo kè lì bǐng wū wǎn shang tā men liǎ jiù shuì zài bǐng
这座巧克力饼屋。晚上，他们俩就睡在饼
wū li
屋里。

guāi guāi xióng zuò mèng le tā de mèng xiāng xiāng de tián
乖乖熊做梦了。他的梦香香的、甜
tián de
甜的。

bèn bèn zhū zuò mèng le tā de mèng xiāng xiāng de tián
笨笨猪做梦了。他的梦香香的、甜
tián de
甜的。

guāi guāi xióng hé bèn bèn zhū yào qǐng tā men suǒ yǒu de péng
乖乖熊和笨笨猪要请他们所有的朋
you dōu zài qiǎo kè lì bǐng wū li shuì yī shuì dōu zuò xiāng xiāng
友，都在巧克力饼屋里睡一睡，都做香香

de tián tián de mèng
的、甜甜的梦。

suǒ yǒu de péng you dōu lái le dōu
所有的朋友都来了，都
zài qiǎo kè lì bǐng wū li zuò le xiāng xiāng
在巧克力饼屋里做了香香
de tián tián de mèng
的、甜甜的梦。

lǎo shǔ jī jī hé lǎo shǔ zī zī yě xiǎng dào qiǎo kè lì
老鼠唧唧和老鼠吱吱也想到巧克力
bǐng wū li lái kě tā men cái bù xī han zuò xiāng xiāng de tián
饼屋里来，可他们才不稀罕做香香的、甜
tián de mèng ne tā men shì xiǎng tōu chī xiāng xiāng de tián tián
甜的梦呢！他们是想偷吃香香的、甜甜
de qiǎo kè lì bǐng
的巧克力饼。

tā men yī lù xiù zhe xiāng wèir lái dào qiǎo kè lì
他们一路嗅着香味儿，来到巧克力
bǐng wū qián
饼屋前。

qǐng ràng wǒ men yě zài qiǎo kè lì bǐng wū li shuì yī
“请让我们也在巧克力饼屋里睡一
shuì zuò xiāng xiāng de tián tián de mèng ba
睡，做香香的、甜甜的梦吧？”

huān yíng huān yíng bèn bèn zhū zhāng zhe dà zuǐ xiào
“欢迎！欢迎！”笨笨猪张着大嘴笑
hē hē huān yíng nǐ men lái zuò mèng
呵呵，“欢迎你们来做梦。”

jī jī kàn kàn zī zī zī zī kàn kàn jī jī tā men
　　唧唧看看吱吱，吱吱看看唧唧，他们
tōu tōu xiào yī xiào
偷偷笑一笑。

guāi guāi xióng bǎ bèn bèn zhū lā dào yī biān qiǎo shēng
　　乖乖熊把笨笨猪拉到一边，悄声
shuō lǎo shǔ de zuǐ shì zuì zuì chán de nǐ bù pà tā men
说："老鼠的嘴是最最馋的，你不怕他们
zài yè lǐ bǎ bǐng wū chī diào ma
在夜里把饼屋吃掉吗？"

bù huì de bù huì de bèn bèn zhū de tóu yáo de
　　"不会的，不会的。"笨笨猪的头摇得
xiàng bō lang gǔ tā men zhǐ shì xiǎng lái zuò xiāng xiāng de
像拨浪鼓，"他们只是想来做香香的、
tián tián de mèng
甜甜的梦。"

guai guāi xióng hái shi bù xiāng xìn tā yòng shēn zi dǎng zhù
　　乖乖熊还是不相信，他用身子挡住
bǐng wū de mén
饼屋的门。

wǒ xiàng nǐ bǎo zhèng bèn bèn zhū bǎ xiōng pú pāi de
　　"我向你保证。"笨笨猪把胸脯拍得
pēng pēng xiǎng nǐ míng tiān zǎo shang lái kàn bǐng wū lián yī
砰砰响，"你明天早上来看，饼屋连一
gè xiǎo dòng yě bù huì yǒu de
个小洞也不会有的。"

lǎo shǔ de ěr duo shì zuì zuì líng de bèn bèn zhū de
　　老鼠的耳朵是最最灵的。笨笨猪的

huà tā men dōu tīng jiàn le tā men de liǎn shuā de yī xià hóng le
话，他们都听见了，他们的脸刷的一下红了。

yīn wèi yǒu bèn bèn zhū de bǎo zhèng guāi guāi xióng tóng yì lǎo shǔ jī jī hé lǎo shǔ zī zī dào bǐng wū li qù
因为有笨笨猪的保证，乖乖熊同意老鼠唧唧和老鼠吱吱到饼屋里去。

wǎn shang jī jī hé zī zī shuì zài qiǎo kè lì bǐng wū li qiǎo kè lì nóng nóng de xiāng wèir yī gǔ yī gǔ de wǎng tā men de bí kǒng li guàn chán de tā men de kǒu shuǐ zhí wǎng xià tǎng
晚上，唧唧和吱吱睡在巧克力饼屋里。巧克力浓浓的香味儿一股一股地往他们的鼻孔里灌，馋得他们的口水直往下淌。

jī jī shǐ jìnr de yàn zhe kǒu shuǐ rú guǒ néng zài qiáng jiǎo kěn yī gè xiǎo dòng chī yī diǎn diǎn yě hǎo
唧唧使劲儿地咽着口水："如果能在墙角啃一个小洞，吃一点点也好。"

zī zī zā zhe zuǐ zhǐ yào tiǎn yī tiǎn cháng cháng wèi dào yě xíng
吱吱咂着嘴："只要舔一舔，尝尝味道也行。"

kě shì jī jī méi yǒu qù kěn zī zī yě méi yǒu qù tiǎn tā men shéi yě méi yǒu wàng jì bèn bèn zhū xiàng guāi guāi xióng
可是，唧唧没有去啃，吱吱也没有去舔，他们谁也没有忘记笨笨猪向乖乖熊

zuò de bǎo zhèng
作的保证。

jī jī shuō wǒ bù míng bai nà zhī shǎ hū hū de
唧唧说："我不明白，那只傻乎乎的
bèn xiǎo zhū wèi shén me yào xiāng xìn wǒ men
笨小猪为什么要相信我们？"

zī zī shuō xiǎng yī xiǎng zài zhè ge shì jiè shang
吱吱说："想一想，在这个世界上，
hái yǒu shéi xiāng xìn guo wǒ men
还有谁相信过我们？"

xiǎng zhe xiǎng zhe jī jī hé zī zī dōu shuì zháo le
想着，想着，唧唧和吱吱都睡着了。

dì èr tiān zǎo chen bèn bèn zhū hé guāi guāi xióng lái dào
第二天早晨，笨笨猪和乖乖熊来到

qiǎo kè lì bǐng wū lǎo shǔ jī jī hé lǎo shǔ zī zī yǐ jīng zǒu
巧克力饼屋，老鼠唧唧和老鼠吱吱已经走

le qiǎo kè lì bǐng wū wán hǎo wú quē guǒ rán xiàng bèn bèn zhū
了。巧克力饼屋完好无缺，果然像笨笨猪

shuō de nà yàng lián yī gè xiǎo dòng yě méi yǒu
说的那样，连一个小洞也没有。

tiān lěng yào gài fáng
天冷要盖房

guā le yī yè de běi fēng xià le yī yè de xuě
刮了一夜的北风，下了一夜的雪。

bèn bèn zhū tǎng zài bèi wō li tīng zhe fēng hū hū de guā tīng zhe xuě shā shā de xià
笨笨猪躺在被窝里，听着风呼呼地刮，听着雪沙沙地下。

tiān lěng le gāi qù bāng lǘ dà ye gài fáng le bèn bèn zhū fān le yī gè shēn hū lū hū lū shuì zháo le
“天冷了，该去帮驴大爷盖房了。”笨笨猪翻了一个身，呼噜呼噜睡着了。

hái zài chūn tiān shí lǘ dà ye de cǎo péng zi jiù yǐ jīng wāi wāi dǎo dǎo le
还在春天时，驴大爷的草棚子就已经歪歪倒倒了。

guāi guāi xióng shuō yīng gāi bāng lǘ dà ye gài yī zuò xīn
乖乖熊说：“应该帮驴大爷盖一座新

fáng zi
房子。”

bèn bèn zhū yě shuō yīng gāi bāng lǘ dà ye gài yī zuò
笨笨猪也说：“应该帮驴大爷盖一座
xīn fáng zi
新房子。”

kě shì chūn tiān tài měi le bèn bèn zhū hé guāi guāi xióng
可是春天太美了，笨笨猪和乖乖熊
tiān tiān qù chūn yóu qù yě cān chūn tiān guò qù le wāi wāi dǎo
天天去春游去野餐。春天过去了，歪歪倒
dǎo de fáng zi hái shi wāi wāi dǎo dǎo de
倒的房子还是歪歪倒倒的。

zhuǎn yǎn dào le xià jì lǘ dà ye de cǎo péng zi kāi
转眼到了夏季，驴大爷的草棚子开
le xǔ duō kū long bèn bèn zhū hé guāi guāi xióng bái tiān zài xiǎo
了许多窟窿。笨笨猪和乖乖熊白天在小
hé li yóu yǒng wǎn shang yòu yào qù tīng kūn chóng men kāi de yīn
河里游泳，晚上又要去听昆虫们开的音
yuè huì cǎo péng zi de kū long yuè kāi yuè dà yǐ jīng bù néng
乐会。草棚子的窟窿越开越大，已经不能
zhē fēng dǎng yǔ le bèn bèn zhū hé guāi guāi xióng què shuō zhè
遮风挡雨了，笨笨猪和乖乖熊却说：“这
yàng yě hǎo zài péng zi li liáng kuai
样也好，在棚子里凉快。”

qiū tiān shuō dào jiù dào qiū fēng bǎ cǎo péng zi de cǎo
秋天说到就到，秋风把草棚子的草
guā de biàn dì dōu shì bèn bèn zhū hé guāi guāi xióng máng zhe yǔ
刮得遍地都是。笨笨猪和乖乖熊忙着与

dōng mián de péng you gào bié yǔ nán fēi de péng you gào bié gào
冬眠的朋友告别，与南飞的朋友告别，告
bié le zhěng zhěng yī gè qiū tiān
别了整整一个秋天。

zěn me péng you men gāng zǒu dōng tiān jiù yǐ jīng lái le
怎么朋友们刚走，冬天就已经来了
ne
呢？

dì èr tiān tiān gāng mēng mēng liàng bèn bèn zhū jiù qù
第二天，天刚蒙蒙亮，笨笨猪就去
qiāo guāi guāi xióng de mén tiān lěng le kuài qǐ lái bāng lǘ dà
敲乖乖熊的门："天冷了，快起来帮驴大
ye gài fáng zi
爷盖房子。"

guāi guāi xióng káng zhe yī bǎ dà fǔ tóu chū le mén tā
乖乖熊扛着一把大斧头出了门，他
men liǎ shēn yī jiǎo qiǎn yī jiǎo zài xuě dì li zǒu dào shù lín
们俩深一脚、浅一脚在雪地里走，到树林
li xún zhǎo gài fáng zi de mù tou
里寻找盖房子的木头。

tā men hěn róng yì zhǎo dào le tā men suǒ xū yào de mù
他们很容易找到了他们所需要的木
tou zài yī kē dà shù xià jǐn āi zhe shù gàn de dì fang jǐ
头。在一棵大树下、紧挨着树干的地方，几
gēn wǎn kǒu cū de mù tou jià chéng rén zì
根碗口粗的木头架成"人字
xíng lì zài nà lǐ
形"立在那里。

wā bèn bèn zhū gāo xìng de jiào dào zhè jǐ
“哇——”笨笨猪高兴地叫道，“这几
gēn mù tou yòng lái gài fáng zi zhèng hǎo
根木头用来盖房子正好！”

guāi guāi xióng kě bù xiàng bèn bèn zhū nà me gāo xìng mù
乖乖熊可不像笨笨猪那么高兴：“木
tou shì yǒu le kě shì wǒ men bǎ fáng zi gài zài shén me dì fang
头是有了，可是我们把房子盖在什么地方
ne
呢？”

dāng rán shì hú biān hǎo bèn bèn zhū zǎo jiù xiǎng hǎo
“当然是湖边好。”笨笨猪早就想好
le zhù zài nà lǐ è le hú biān yǒu qīng cǎo kě le
了，“住在那里，饿了，湖边有青草；渴了，
yǒu hú shuǐ sàn bù de shí hou fēng jǐng yě hǎo
有湖水；散步的时候风景也好。”

xī li huā lā xī li huā lā
稀里哗啦！稀里哗啦！

bèn bèn zhū hé guāi guāi xióng dōu shì dà lì shì tā men
笨笨猪和乖乖熊都是大力士，他们
huī wǔ fǔ tóu sān liǎng xià jiù bǎ mù tou chāi
挥舞斧头，三两下就把木头拆
xià lái hái yì wài de fā
下来，还意外地发
xiàn dì shang hái yǒu yī dà
现地上还有一大
duī gǔ cǎo
堆谷草。

他们俩把木头搬到湖边，把谷草拖到湖边，叮叮当当地盖起房来。

当太阳红红地升起来，湖边已有了一座结结实实、暖暖和和的小房子。

笨笨猪一边收拾工具，一边说：“驴大爷不知道有多么喜欢这座小房子。”

“笨笨猪，我们不要告诉驴大爷这座小房子是我们俩盖的，做了好事不留名嘛！”

笨笨猪很赞同乖乖熊的意见，他们欢天喜地去接驴大爷来住新房子。

这时，从树林里传来驴大爷沙哑的哭声。

“这是驴大爷在哭呢！”乖乖熊说，

tā wèi shén me yào kū
“他为什么要哭？”

yī dìng shì zuó wǎn yòu guā fēng yòu xià xuě lǘ dà ye
“一定是昨晚又刮风，又下雪，驴大爷
zhù zài pò péng zi li ái le dòng dāng rán huì hěn shāng xīn
住在破棚子里挨了冻，当然会很伤心。”
bèn bèn zhū jiā kuài bù zi bù guò tā hěn kuài jiù huì gāo xìng
笨笨猪加快步子，“不过，他很快就会高兴
qǐ lái yīn wèi tā xiàn zài yǐ jīng yǒu le yī zuò xīn fáng zi
起来，因为他现在已经有了一座新房子。”

dāng tā men zhǎo dào lǘ dà ye yī qún dòng wù cù yōng
当他们找到驴大爷，一群动物簇拥
zhe hēi māo jǐng zhǎng yě lái le
着黑猫警长也来了。

lǘ dà ye luō luō suō suō de xiàng hēi māo jǐng zhǎng jiǎng
驴大爷啰啰唆唆地向黑猫警长讲
shù zhe nǐ zhī dào wǒ yǐ qián zhù de péng zi yǐ jīng hěn
述着：“你知道，我以前住的棚子已经很
pò jiù le bù néng
破旧了，不能……”

qǐng jiǎn zhǔ yào de shuō hēi māo jǐng zhǎng dǎ duàn le
“请拣主要的说。”黑猫警长打断了
lǘ dà ye de huà
驴大爷的话。

hǎo hǎo shuō zhǔ yào de lǘ dà ye yòu kāi shǐ
“好好，说主要的。”驴大爷又开始
shuō jīn nián qiū tiān wǒ fèi le hǎo duō gōng fu zài dà lín
说，“今年秋天，我费了好多工夫，在大林

zi li tiāo le jǐ kē zuì hǎo de shù yòu cóng lǎo yuǎn de dì
子里挑了几棵最好的树，又从老远的地
fang tuó lái xīn xiān de gǔ cǎo huā le zhěng zhěng yī gè qiū tiān
方驮来新鲜的谷草，花了整整一个秋天
de shí jiān zài zhè kē dà shù xià dā le yī gè cǎo péng zi
的时间，在这棵大树下，搭了一个草棚子。
zhè ge cǎo péng zi
这个草棚子……”

qí tā de bù yào shuō le zhǐ jiǎng shì qing de jīng
“其他的不要说了，只讲事情的经
guò hēi māo jǐng zhǎng yòu yī cì dǎ duàn le lǘ dà ye de
过。”黑猫警长又一次打断了驴大爷的
huà
话。

jīn tiān zǎo chen tiān hái méi liàng xiàng wǎng cháng yī
“今天早晨，天还没亮，像往常一
yàng wǒ chū qù màn pǎo huí lái de shí hou wǒ de cǎo péng
样，我出去慢跑，回来的时候，我的草棚
zi jiù bù jiàn le
子就不见了。”

zhè shì shéi gàn de zhè me quē dé
“这是谁干的？这么缺德。”
guāi guāi xióng duì bèn bèn zhū shuō
乖乖熊对笨笨猪说。

bèn bèn zhū bù míng bai
笨笨猪不明白：
wèi shén me yào tōu lǘ dà ye
“为什么要偷驴大爷

de cǎo péng zi ne
的草棚子呢？”

hēi māo jǐng zhǎng wèn lǘ dà ye nǐ chū qù màn pǎo
黑猫警长问：“驴大爷，你出去慢跑，
dà gài xū yào duō cháng shí jiān
大概需要多长时间？”

lǘ dà ye zhǎ ba zhǎ ba yǎn jing dà gài xū yào sān
驴大爷眨巴眨巴眼睛：“大概需要三
sì gè xiǎo shí ba
四个小时吧。”

hēi māo jǐng zhǎng diǎn diǎn tóu zài sān sì gè xiǎo shí yǐ
黑猫警长点点头：“在三四个小时以
nèi jiù dào zǒu yī gè cǎo péng zi kě yǐ kěn dìng xiǎo tōu
内，就盗走一个草棚子，可以肯定，小偷
bù zhǐ yī gè zhì shǎo liǎng gè yě xǔ shì sān sì wǔ liù
不止一个，至少两个，也许是三四五六
gè
个。”

jiē zhe hēi māo jǐng zhǎng kāi shǐ zhēn chá xiàn chǎng kě
接着，黑猫警长开始侦察现场，可
shì dà shù zhōu wéi de xuě dì shang dào chù shì lái kàn rè nao
是大树周围的雪地上，到处是来看热闹
de dòng wù men de zú
的动物们的足
yìn hēi māo jǐng zhǎng
印。黑猫警长
shuō xiàn chǎng yǐ jīng
说：“现场已经

bèi pò huài le rú guǒ xiàn chǎng bǎo hù de hǎo xiǎo tōu de zú
被破坏了。如果现场保护得好，小偷的足

yìn jiù huì liú zài xuě dì shang nà me shéi shì xiǎo tōu biàn yī
印就会留在雪地上，那么，谁是小偷便一

mù liǎo rán le
目了然了。”

lǘ dà ye yě zhēn shi de bèn bèn zhū shuō bù
“驴大爷也真是的。”笨笨猪说，“不

bǎ xiàn chǎng bǎo hù hǎo zhè xià zhuā bù dào xiǎo tōu le
把现场保护好，这下抓不到小偷了。”

bù guò wǒ yòu yǒu le xīn de fā xiàn hēi māo jǐng
“不过，我又有了新的发现。”黑猫警

zhǎng wān yāo shí qǐ yī gēn gǔ cǎo lǘ dà ye nǐ de cǎo
长弯腰拾起一根谷草，“驴大爷，你的草

péng zi yòng de shì zhè yàng de gǔ cǎo ma
棚子用的是这样的谷草吗？”

shì de yòng de dōu shì zhè yàng de gǔ cǎo
“是的，用的都是这样的谷草。”

nǐ men kàn xiǎo tōu hěn jiǎo huá tā men xiǎng yòng gǔ
“你们看，小偷很狡猾，他们想用谷

cǎo sǎo qù tā men de zú yìn bù xiǎng què liú xià le yī lù gǔ
草扫去他们的足印，不想却留下了一路谷

cǎo wǒ xiǎng yán zhe yǒu gǔ cǎo de dì fang zǒu xià qù jiù néng
草。我想沿着有谷草的地方走下去，就能

zhǎo dào xiǎo tōu le
找到小偷了。”

hēi māo jǐng zhǎng wèi zì jǐ de fēn xī pàn duàn dé yì de
黑猫警长为自己的分析判断得意得

liǎng yǎn fā guāng tā kāi shǐ yán zhe yǒu gǔ cǎo de dì fang sōu
两眼发光。他开始沿着有谷草的地方搜
xún bèn bèn zhū hé guāi guāi xióng gēn zài tā shēn hòu yī xīn xiǎng
寻。笨笨猪和乖乖熊跟在他身后，一心想
bāng zhù tā zhuā zhù xiǎo tōu zǎo wàng le zhǎo lǘ dà ye qù kàn
帮助他抓住小偷，早忘了找驴大爷去看
xīn fáng zi de shì le
新房子的事了。

dà jiā yī zhí lái dào hú biān nà zuò xīn xiū de xiǎo fáng
大家一直来到湖边那座新修的小房
zi qián qián miàn de dì fang zài yě méi yǒu gǔ cǎo le
子前，前面的地方再也没有谷草了。

gū jì xiǎo tōu jiù zài zhè zuò fáng zi li
“估计小偷就在这座房子里。”

hēi māo jǐng zhǎng ràng dà jiā yǐn bì qǐ lái tā cè shēn
黑猫警长让大家隐蔽起来，他侧身
yǐ zài mén biān cháo fáng zi li hǎn dào kuài chū lái xiǎo
倚在门边，朝房子里喊道：“快出来，小
tōu wǒ zhī dào nǐ men jiù zài lǐ bian
偷！我知道你们就在里边。”

wèi bèn bèn zhū guāi guāi xióng xiǎo shēng shuō zhè
“喂，笨笨猪！”乖乖熊小声说，“这
bù shì wǒ men gěi lǘ dà ye xīn gài de fáng zi ma
不是我们给驴大爷新盖的房子吗？”

duì hǎo xiàng shì
“对，好像是。”

tā men pǎo dào hēi māo jǐng zhǎng de shēn biān duì tā
他们跑到黑猫警长的身边，对他

shuō fáng zi li bù huì yǒu xiǎo tōu
说："房子里不会有小偷。"

nǐ men zěn me zhī dào zhè shì shéi de fáng zi
"你们怎么知道？这是谁的房子？"

zhè zhè shì lǘ dà ye de fáng zi
"这……这是驴大爷的房子。"

lǘ dà ye de fáng zi hēi māo jǐng zhǎng wèn lǘ dà ye zhè shì nǐ de fáng zi ma
"驴大爷的房子？"黑猫警长问驴大爷，"这是你的房子吗？"

bù bù shì zhè kěn dìng bù shì wǒ de fáng zi
"不，不是，这肯定不是我的房子。"

zěn me huí shì hēi māo jǐng zhǎng dīng zhù bèn bèn zhū hé guāi guāi xióng
"怎么回事？"黑猫警长盯住笨笨猪和乖乖熊。

zhè zhè shì wǒ men wèi lǘ dà ye xīn gài de fáng zi
"这……这是我们为驴大爷新盖的房子。"

jǐng zhǎng xiān sheng
"警长先生！"

lǘ dà ye zhǐ zhe wū liáng zhè jǐ gēn mù tou shì wǒ de shì wǒ dā cǎo péng zi
驴大爷指着屋梁，"这几根木头是我的，是我搭草棚子

yòng de mù tou
用的木头。”

ó shì ma hēi māo jǐng zhǎng de yǎn zhū gū lū lū
“哦，是吗？”黑猫警长的眼珠骨碌碌

zhuàn dòng zhe tā jué de àn qíng fù zá qǐ lái
转动着，他觉得案情复杂起来。

jǐng zhǎng xiān sheng lǘ dà ye zhǐ zhe fáng dǐng shang
“警长先生！”驴大爷指着房顶上

de gǔ cǎo fáng dǐng shang de gǔ cǎo yě shì wǒ de
的谷草，“房顶上的谷草也是我的。”

bèn bèn zhū guāi guāi xióng nǐ men yòng lái gài zhè zuò
“笨笨猪，乖乖熊，你们用来盖这座

fáng zi de mù tou hé gǔ cǎo shì nǎr lái de
房子的木头和谷草是哪儿来的？”

zài shù lín li yī kē dà shù xià
“在树林里，一棵大树下……”

tiān na lǘ dà ye jiào qǐ lái nà zhèng shì wǒ
“天哪！”驴大爷叫起来，“那正是我

de cǎo péng zi
的草棚子。”

yě jiù shì shuō shì nǐ men bǎ lǘ dà ye de cǎo péng
“也就是说，是你们把驴大爷的草棚

zi gěi chāi le
子给拆了。”

tiān méi liàng kàn bù qīng chu shì cǎo péng zi wǒ men
“天没亮，看不清楚是草棚子，我们

hái yǐ wéi shì jǐ gēn mù tou jià chéng rén zì xíng
还以为是几根木头架成‘人字形’……”

bèn bèn zhū jiē zhe guāi guāi xióng de huà shuō xià qù wǒ
笨笨猪接着乖乖熊的话说下去："我
men bìng bù xiǎng tōu mù tou hé gǔ cǎo zhǐ shì xiǎng yòng zhè xiē
们并不想偷木头和谷草，只是想用这些
mù tou hé gǔ cǎo gěi lǘ dà ye gài zuò xīn fáng zi tiān lěng
木头和谷草给驴大爷盖座新房子。天冷
le gài fáng zi de shì bù néng zài tuō le
了，盖房子的事不能再拖了。"

hēi māo jǐng zhǎng yǎng tóu xiào le jǐ shēng yōu rán de duó
黑猫警长仰头笑了几声，悠然地踱
qǐ bù lái wǒ kàn zhè ge yǒu qù de àn zi yǐ jīng zhēn xiàng
起步来："我看这个有趣的案子已经真相
dà bái bèn bèn zhū hé guāi guāi xióng chāi le lǘ dà ye zài shù lín
大白：笨笨猪和乖乖熊拆了驴大爷在树林
li de cǎo péng zi yòu zài hú biān gěi lǘ dà ye gài le yī zuò
里的草棚子，又在湖边给驴大爷盖了一座
xīn fáng zi lǘ dà ye nǐ xǐ huan zhè zuò xīn fáng zi ba
新房子。驴大爷，你喜欢这座新房子吧？"

lǘ dà ye diǎn diǎn tóu dāng rán zhè xīn fáng zi bǐ
驴大爷点点头："当然，这新房子比
wǒ de nà ge cǎo péng zi gèng jiē shi gèng nuǎn huo yě gèng
我的那个草棚子更结实，更暖和，也更
piào liang
漂亮。"

qī gè xiǎo táo qì

七个小淘气

jī ma ma yǒu qī gè xiǎo táo qì jī duō jī lái jī
鸡妈妈有七个小淘气：鸡多、鸡来、鸡
mī jī fā jī suō jī lā jī xī
咪、鸡发、鸡梭、鸡拉、鸡西。

jī mā ma qǐng yǒu xué wen de māo mī mī xiǎo jiě lái gěi
鸡妈妈请有学问的猫咪咪小姐来给
tā men dāng lǎo shī
他们当老师。

māo mī mī xiǎo jiě lái le tā dài zhe dà yǎn jìng bào
猫咪咪小姐来了，她戴着大眼镜，抱
zhe yī luò hòu hòu de shū
着一摞厚厚的书。

tā zhàn zài xiǎo jī men de miàn qián xià ba tái de gāo
她站在小鸡们的面前，下巴抬得高
gāo de wǒ dù zi li yǒu hěn duō hěn duō de xué wen nǐ men
高的："我肚子里有很多很多的学问，你们

yào guāi guāi de gēn wǒ xué jiāng lái zuò dù zi li yǒu xué wen de
要乖乖地跟我学，将来做肚子里有学问的
jī
鸡。”

xiǎo jī men jī ji zhā zhā de rǎng kāi le
小鸡们叽叽喳喳地嚷开了：

māo mī mī xiǎo jiě xué wen shì shén me dōng xi ya
“猫咪咪小姐，学问是什么东西呀？”

māo mī mī xiǎo jiě xué wen hǎo chī ma
“猫咪咪小姐，学问好吃吗？”

māo mī mī xiǎo jiě néng bù néng bǎ nǐ dù zi li de
“猫咪咪小姐，能不能把你肚子里的
xué wen tǔ yī diǎn diǎn chū lái ràng wǒ men kàn kàn shì shén me
学问吐一点点出来，让我们看看是什么
yàng zi de
样子的？”

māo mī mī xiǎo jiě gǎn jǐn wǔ zhù zì jǐ de ěr duo jiān
猫咪咪小姐赶紧捂住自己的耳朵，尖

shēng jiào dào duō lái mī fā suō lā xī nǐ men
声叫道："多！来！咪！发！梭！拉！西！你们
gěi wǒ bì zuǐ
给我闭嘴！"

xiǎo jī men bù jǐn bù bì zuǐ hái tiào shàng kè zhuō tiào
小鸡们不仅不闭嘴，还跳上课桌，跳
shàng chuāng tái jī ji zhā zhā zhā zhā jī jī chǎo de gèng
上窗台，叽叽喳喳，喳喳叽叽，吵得更
huān le
欢了。

māo mī mī xiǎo jiě qì huài le tā de dà yǎn jìng cóng bí
猫咪咪小姐气坏了，她的大眼镜从鼻
zi shang diào dào dì shang shuāi de fěn suì tā kū zhe pǎo le
子上掉到地上，摔得粉碎。她哭着跑了。

jī mā ma yòu qǐng huì zuò shī de gǒu wāng wāng xiān sheng
鸡妈妈又请会做诗的狗汪汪先生
lái zuò xiǎo jī men de lǎo shī
来做小鸡们的老师。

gǒu wāng wāng xiān sheng lái le tā chuān zhe hēi sè de
狗汪汪先生来了，他穿着黑色的
yàn wěi fú jǐng shang jì zhe hēi sè de hú dié jié
燕尾服，颈上系着黑色的蝴蝶结。

tā ràng xiǎo jī men zài tā miàn qián zhàn chéng yī pái kāi
他让小鸡们在他面前站成一排，开
shǐ duì tā men xùn huà wǒ tīng shuō nǐ men qī gè xiǎo jiā huo
始对他们训话："我听说你们七个小家伙
dōu hěn táo qì nǐ men wèi shén me huì táo qì ne jiù shì yīn
都很淘气。你们为什么会淘气呢？就是因

wèi nǐ men bù huì zuò shī suǒ yǐ nǐ men yào guāi guāi de gēn wǒ
为你们不会做诗。所以你们要乖乖地跟我
xué zuò shī
学做诗。”

xiǎo jī men jī ji zhā zhā rǎng kāi le
小鸡们叽叽喳喳嚷开了：

gǒu wāng wāng xiān sheng shī shì shén me yàng zi de
“狗汪汪先生，诗是什么样子的？”

gǒu wāng wāng xiān sheng shī kě yǐ chī ma
“狗汪汪先生，诗可以吃吗？”

gǒu wāng wāng xiān sheng shī shì tián de hái shi kǔ
“狗汪汪先生，诗是甜的，还是苦
de
的？”

duō lái mī fā suō lā xī gǒu wāng wāng
“多！来！咪！发！梭！拉！西！”狗汪汪
xiān sheng yáo tóu huàng nǎo de shuō zhe yī qún chǔn jī zěn me
先生摇头晃脑地说着，“一群蠢鸡，怎么
zuò de liǎo shī jī ne
做得了‘诗鸡’呢！”

xiǎo jī men jī ji zhā zhā zhā zhā jī jī
小鸡们叽叽喳喳、喳喳叽叽
de kàng yì qǐ lái wǒ men bù yào
地抗议起来：“我们不要
zuò shī jī wǒ men yào zuò táo
做‘诗鸡’，我们要做淘
qì de xiǎo jī
气的小鸡。”

táo qì táo qì nǐ men jiù táo qì qù ba
“淘气，淘气，你们就淘气去吧！”

gǒu wāng wāng xiān sheng de bó zi dōu qì cū le zhèng duàn le piào liang de hēi hú dié lǐng jié
狗汪汪先生的脖子都气粗了，挣断了漂亮的黑蝴蝶领结。

gǒu wāng wāng xiān sheng yě bèi qì zǒu le jī mā ma fàn chóu le shéi hái yuàn yì lái jiāo tā de qī gè xiǎo táo qì ne
狗汪汪先生也被气走了。鸡妈妈犯愁了，谁还愿意来教她的七个小淘气呢？

bèn bèn zhū lái le
笨笨猪来了。

tā xiào hē hē de lái dào xiǎo jī men zhōng jiān tā xiàng chàng gē yī yàng xiàng xiǎo jī men wèn hǎo
他笑呵呵地来到小鸡们中间。他像唱歌一样向小鸡们问好。

duō lái mī fā suō lā xī nǐ men hǎo
“多！来！咪！发！梭！拉！西！你们好！”

xiǎo jī men ān ān jìng jìng de kàn zhe tā cóng lái méi yǒu zhè yàng ān jìng guo
小鸡们安安静静地看着他，从来没有这样安静过。

jī duō zhàn zài tā de dì di mèi mei qián miàn wèn dào bèn bèn zhū nǐ huì shén me
鸡多站在他的弟弟妹妹前面，问道：“笨笨猪，你会什么？”

wǒ huì wán
“我会玩。”

xiǎo jī men lè le wǒ men jiù ài wán wǒ men jiù
小鸡们乐了："我们就爱玩！我们就
ài wán
爱玩！"

hǎo xiàn zài wǒ men shàng kè bèn bèn zhū shuō
"好，现在我们上课。"笨笨猪说，
shàng kè de shí hou nǐ men bù néng suí biàn jiǎng huà jīn tiān
"上课的时候你们不能随便讲话。今天
wǒ men shàng yīn yuè kè tǐ yù kè huì huà kè zhè sān mén
我们上音乐课、体育课、绘画课，这三门
kè hé zài yī kuàir shàng
课合在一块儿上。"

duō xīn xiān yīn yuè kè tǐ yù kè huì huà kè néng hé
多新鲜，音乐课、体育课、绘画课能合
zài yī kuàir shàng yīn wèi shàng kè de shí hou bù néng suí biàn
在一块儿上！因为上课的时候不能随便
jiǎng huà xiǎo jī men méi yǒu jī jī yě méi yǒu zhā zhā
讲话，小鸡们没有叽叽，也没有喳喳。

bèn bèn zhū kāi shǐ jiāo xiǎo jī men zěn yàng wán
笨笨猪开始教小鸡们怎样玩。

tā zài dì shang pū le yī zhāng hěn dà hěn dà de bái
他在地上铺了一张很大很大的白
zhǐ ràng xiǎo jī de jiǎo shang dōu zhàn shàng lǜ sè de yán liào
纸，让小鸡的脚上都蘸上绿色的颜料，
rán hòu jiāo tā men yī biān chàng yī biān zài bái zhǐ shang tiào
然后教他们一边唱，一边在白纸上跳。

mī duō mī duō mī fā suō
咪多咪多咪发梭
lā lái lā lái lái xī duō
拉来拉来来西多

chàng gòu le tiào gòu le bèn bèn
唱够了，跳够了，笨笨
zhū jiào xiǎo jī men xià kè le
猪叫小鸡们下课了。

bèn bèn zhū bǎ dì shang de bái zhǐ
笨笨猪把地上的白纸
tiē zài qiáng shang qiáo nǐ men huà le
贴在墙上：“瞧，你们画了
yī fú duō me měi lì de tú huà
一幅多么美丽的图画！”

xià kè le xiǎo jī men kě yǐ jī
下课了，小鸡们可以叽
jī yě kě yǐ zhā zhā le
叽，也可以喳喳了。

zhè me duō de zhú yè
"这么多的竹叶!"

hǎo lǜ hǎo lǜ de zhú yè
"好绿好绿的竹叶!"

xiǎo jī men wèn bèn bèn zhū míng tiān hái lái gěi tā men shàng kè ma
小鸡们问笨笨猪明天还来给他们上课吗?

lái lái bèn bèn zhū yǎn jing xiào de wān wān de
"来!来!"笨笨猪眼睛笑得弯弯的,

wǒ hěn yuàn yì zuò nǐ men de lǎo shī nǐ men shì cōng míng kě ài de xué sheng
"我很愿意做你们的老师,你们是聪明可爱的学生。"

bèn bèn zhū jiǎn féi

笨笨猪减肥

māo mī mī zhè jǐ tiān zài kàn yī běn yī shū shàng miàn
猫咪咪这几天在看一本医书，上面
shuō shēn tǐ féi pàng hěn kě néng yào yǐn qǐ xīn zàng bìng tā
说身体肥胖，很可能要引起心脏病。她
lì kè xiǎng dào le bèn bèn zhū tā bù shì hěn féi pàng ma
立刻想到了笨笨猪：“他不是很肥胖吗？
zhè hěn róng yì dé xīn zàng bìng de wǒ děi qù gào su tā
这很容易得心脏病的，我得去告诉他。”

māo mī mī shì gè jí xìng zi xīn li gé bù zhù shì
猫咪咪是个急性子，心里搁不住事，
tā fēng fēng huǒ huǒ de pǎo dào bèn bèn zhū de xī guā fáng yáo xǐng
她风风火火地跑到笨笨猪的西瓜房，摇醒
zhèng zài hū hū dà shuì de bèn bèn zhū
正在呼呼大睡的笨笨猪。

kuài qǐ lái kuài qǐ lái nǐ zhī dào nǐ huì dé xīn
“快起来，快起来！你知道你会得心

zàng bìng ma
脏病吗？”

bèn bèn zhū yī xià zi zuò qǐ lái shǐ jìn zhēng kāi yǎn
笨笨猪一下子坐起来，使劲睁开眼
jing shéi dé le xīn zàng bìng
睛：“谁得了心脏病？”

āi yā nǐ dé le xīn zàng bìng
“哎呀，你得了心脏病。”

bèn bèn zhū yòu tǎng le xià qù wǒ hǎo hāor de nǎ
笨笨猪又躺了下去：“我好好儿的，哪
yǒu shén me xīn zàng bìng
有什么心脏病？”

māo mī mī yòu bǎ tā lā qǐ lái wǒ kàn shū shang xiě
猫咪咪又把他拉起来：“我看书上写
de shēn tǐ féi pàng jiù huì dé xīn zàng bìng dé le xīn zàng
的，身体肥胖，就会得心脏病；得了心脏
bìng shì hěn róng yì sǐ de
病是很容易死的。”

zhēn de bèn bèn zhū yòu zuò le qǐ lái
“真的？”笨笨猪又坐了起来，
tā pà dé bìng gèng pà sǐ māo mī mī wǒ bù
他怕得病，更怕死，“猫咪咪，我不
yào dé bìng wǒ bù yào sǐ
要得病，我不要死。”

nǐ bié zháo jí māo
“你别着急。”猫
mī mī dài shàng yǎn jìng tā kàn
咪咪戴上眼镜，她看

shū de shí hou zǒng shì yào dài shàng yǎn jìng de jǐn guǎn tā bìng
书的时候总是要戴上眼镜的，尽管她并
bù jìn shì ràng wǒ kàn kàn shū shang zěn me xiě de
不近视，“让我看看书上怎么写的。”

māo mī mī zhú zì zhú jù de dú le jǐ yè hé shàng
猫咪咪逐字逐句地读了几页，合上
shū shū shang gào su le jǐ tiáo jiǎn féi de fāng fǎ nǐ zǐ
书：“书上告诉了几条减肥的方法，你仔
xì tīng zhe
细听着。”

bèn bèn zhū shù qǐ liǎng zhī běn lái dā la zhe de dà ěr
笨笨猪竖起两只本来耷拉着的大耳
duo
朵。

dì yī tiáo měi tiān zhǐ hē shuǐ bù chī fàn
“第一条，每天只喝水，不吃饭。”

ǎ bèn bèn zhū de dù zi lì jí gū gū de
“啊！”笨笨猪的肚子立即“咕咕”地
xiǎng qǐ lái tā shén me dōu kě yǐ rěn nài wéi yī bù néng rěn
响起来。他什么都可以忍耐，唯一不能忍
nài de jiù shì jī è
耐的就是饥饿。

néng bù néng zhǐ chī fàn bù hē shuǐ
“能不能只吃饭，不喝水？”

hú shuō māo mī mī shēng qì de zhāi xià tā de yǎn
“胡说！”猫咪咪生气地摘下她的眼
jìng jiān shēng jiào dào nǐ xiǎng dé xīn zàng bìng ma
镜，尖声叫道，“你想得心脏病吗？”

bèn bèn zhū wǔ zhù ěr duo hǎo hǎo hǎo zhǐ hē shuǐ
笨笨猪捂住耳朵："好好好，只喝水，
bù chī fàn
不吃饭。"

zhè jiù duì le māo mī mī chóng xīn dài shàng yǎn
"这就对了。"猫咪咪重新戴上眼
jìng dì èr tiáo yào duō yùn dòng
镜，"第二条，要多运动。"

yùn dòng zěn me yùn dòng
"运动？怎么运动？"

jiù shì yào xiàng gǒu wāng wāng nà yàng pǎo xiàng xiǎo bái
"就是要像狗汪汪那样跑，像小白
tù nà yàng tiào ér qiě hái yào bù tíng de pǎo bù tíng de
兔那样跳，而且还要不停地跑，不停地
tiào
跳。"

shén me bù chī fàn hái děi bù tíng de pǎo bù tíng
"什么？不吃饭，还得不停地跑，不停
de tiào bèn bèn zhū sì tuǐ fā ruǎn néng bù néng chī bǎo le
地跳？"笨笨猪四腿发软，"能不能吃饱了
zài pǎo zài tiào
再跑、再跳？"

hú shuō māo mī mī yòu yī cì shēng qì de zhāi xià
"胡说！"猫咪咪又一次生气地摘下
le yǎn jìng jiān shēng jiào dào nǐ xiǎng dé xīn zàng bìng sǐ diào
了眼镜，尖声叫道，"你想得心脏病死掉
ma
吗？"

hǎo hǎo hǎo zhào nǐ shuō de zuò bù chī fàn duō yùn dòng
“好好好，照你说的做，不吃饭，多运动。”

zhè jiù duì le māo mī mī yòu chóng xīn dài shàng yǎn jìng dì sān tiáo yào shǎo shuì jiào duō dòng nǎo
“这就对了。”猫咪咪又重新戴上眼镜，“第三条，要少睡觉，多动脑。”

bèn bèn zhū tīng le lián shuō huà de jìnr dōu méi yǒu le zhǐ jué de liǎng yǎn qī hēi nǎo zi li kōng kōng dàng dàng de
笨笨猪听了，连说话的劲儿都没有了，只觉得两眼漆黑，脑子里空空荡荡的。

jiàn bèn bèn zhū zhè cì hěn tīng huà méi zài kēng shēng māo mī mī mǎn yì de diǎn diǎn tóu zhǐ yào nǐ yǒu xìn xīn yǒu jué xīn cháng qī jiān chí xià qù nǐ huì miáo tiao qǐ lái de
见笨笨猪这次很听话，没再吭声，猫咪咪满意地点点头：“只要你有信心，有决心，长期坚持下去，你会苗条起来的。”

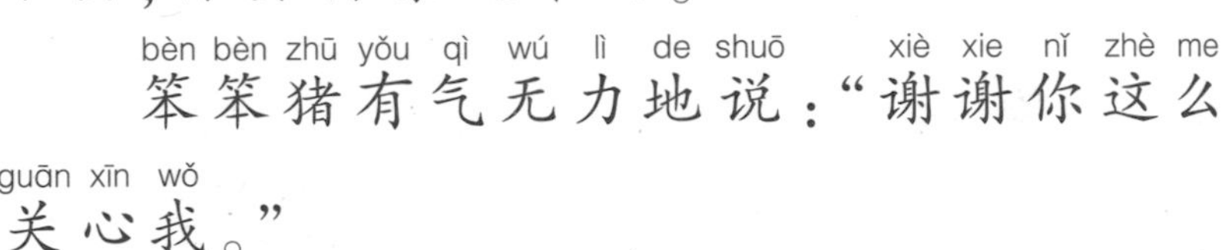

bèn bèn zhū yǒu qì wú lì de shuō xiè xie nǐ zhè me guān xīn wǒ
笨笨猪有气无力地说：“谢谢你这么关心我。”

zhè shì yīng gāi de wǒ men shì hǎo péng you ma
“这是应该的，我们是好朋友嘛。”

māo mī mī jiā qǐ shū běn huí jiā le
猫咪咪夹起书本回家了。

dì èr tiān xióng jī gāng chàng dì yī biàn gē māo mī
第二天，雄鸡刚唱第一遍歌，猫咪
mī jiù lái qiāo bèn bèn zhū de mén le bèn bèn zhū bù yào shuì
咪就来敲笨笨猪的门了：“笨笨猪，不要睡
lǎn jiào yào yǒu xìn xīn yǒu jué xīn
懒觉，要有信心，有决心。”

zhè me zǎo jiù yāo lí kāi rè bèi wō bèn bèn zhū yī qiān
这么早就要离开热被窝，笨笨猪一千
gè bù tòng kuài yī wàn gè bù yuàn yì dàn tā bù néng gū fù
个不痛快，一万个不愿意，但他不能辜负
māo mī mī de yī piàn hǎo xīn miǎn miǎn qiǎng qiǎng de qǐ le
猫咪咪的一片好心，勉勉强强地起了
chuáng
床。

māo mī mī bù zhù de cuī cù dào kuài qù yùn dòng
猫咪咪不住地催促道：“快去运动！
kuài qù yùn dòng
快去运动！”

wǒ néng chī yī diǎnr dōng xi zài qù yùn dòng ma
“我能吃一点儿东西再去运动吗？”

bù xíng
“不行！”

māo mī mī huí dá de hěn gān cuì
猫咪咪回答得很干脆。

bèn bèn zhū zhǐ hǎo kōng zhe dù zi yī huìr xué gǒu
笨笨猪只好空着肚子，一会儿学狗

pǎo yī huìr xué tù tiào
跑，一会儿学兔跳，
pǎo pǎo tiào tiào tiào tiào pǎo
跑跑跳跳，跳跳跑
pǎo lèi de shàng qì bù jiē xià qì
跑，累得上气不接下气。

bèn bèn zhū gāng xiǎng tíng xià lái xiē huìr māo mī mī
笨笨猪刚想停下来歇会儿，猫咪咪
què chū xiàn zài tā miàn qián bù xǔ tōu lǎn
却出现在他面前：“不许偷懒！”

bèn bèn zhū zhǐ dé yǎo jǐn yá guān pǎo ya tiào ya yī
笨笨猪只得咬紧牙关跑呀、跳呀，一
zhí yùn dòng dào dà tiān liàng
直运动到大天亮。

māo mī mī zhōng yú tóng yì bèn bèn zhū kě yǐ tíng xià lái
猫咪咪终于同意笨笨猪可以停下来
xiē huìr le
歇会儿了。

bèn bèn zhū è de lián zhàn de lì qi dōu kuài méi yǒu le
笨笨猪饿得连站的力气都快没有了。
tā hǎo róng yì āi dào chú fáng li jiē kāi guō gài lǐ miàn zhèng
他好容易挨到厨房里，揭开锅盖，里面正
tǎng zhe jǐ gè yòu bái yòu dà de mán tou tā gāng yào qù ná
躺着几个又白又大的馒头。他刚要去拿，
pēng de yī shēng guō gài gài shàng le māo mī mī yòu chū
“砰”的一声，锅盖盖上了，猫咪咪又出
xiàn le
现了：

shū shang bù shì gào su guo nǐ zhǐ hē shuǐ bù chī
“书上不是告诉过你，只喝水，不吃
fàn ma
饭吗？”

bù chī fàn tǎng xià lái xiū xi xiū xi zǒng kě yǐ ba
不吃饭，躺下来休息休息总可以吧？

bèn bèn zhū gāng yào tǎng xià māo mī mī yòu shuō huà le
笨笨猪刚要躺下，猫咪咪又说话了：
xiàn zài nǐ de shēn tǐ kě yǐ xiū xi nǎo zi què bù néng xiū
“现在你的身体可以休息，脑子却不能休
xi kuài kuài kuài xiǎng wèn tí
息。快，快，快想问题。”

bèn bèn zhū hěn tīng huà de xiǎng qǐ wèn tí lái xiǎng zhe
笨笨猪很听话地想起问题来。想着
xiǎng zhe zuǐ jiǎo biān jìng huā huā de tǎng xià kǒu shuǐ lái tā xiǎng
想着，嘴角边竟哗哗地淌下口水来。他想
de suǒ yǒu wèn tí dōu shì gēn chī yǒu guān xì de
的所有问题，都是跟吃有关系的。

bèn bèn zhū zhōng yú shòu xià lái le nǐ qiáo tā xiàn zài
笨笨猪终于瘦下来了。你瞧他现在
zhè fù mú yàng yuán lái xiàng dà dōng guā yī yàng de shēn zi yǐ
这副模样：原来像大冬瓜一样的身子已
shòu chéng xiàng yī gè biě biě de kǒu dai jiān tóu de gǔ tou hé
瘦成像一个瘪瘪的口袋，肩头的骨头和
xiōng qián de lèi gǔ yě yǐn yuē kě jiàn biàn huà zuì dà de shì tā
胸前的肋骨也隐约可见。变化最大的是他
nà zhāng liǎn liǎn shang zhǐ shèng xià yī céng pí běn lái xiàn jìn
那张脸，脸上只剩下一层皮，本来陷进

ròu li de yǎn jing tū chū lái le xiàng liǎng gè tóng líng tā de
肉里的眼睛凸出来了，像两个铜铃。他的
bí zi xiǎn de gèng dà le zuǐ ba xiǎn de gèng jiān le
鼻子显得更大了，嘴巴显得更尖了。

māo mī mī gāo xìng jí le tā qián hòu zuǒ yòu de dǎ liang
猫咪咪高兴极了，她前后左右地打量
zhe bèn bèn zhū à duō me xiāo shòu nǐ zài yě bù huì dé
着笨笨猪："啊，多么消瘦，你再也不会得
xīn zàng bìng le
心脏病了。"

zhèng shuō zhe jī mā ma hé yā mā ma dài zhe tā men
正说着，鸡妈妈和鸭妈妈带着她们
de hái zi men kàn wàng bèn bèn zhū lái le
的孩子们看望笨笨猪来了。

bèn bèn zhū zài jiā ma
"笨笨猪在家吗？"

tā men yī jiàn bèn bèn zhū xiǎo jī xià de jī jī
他们一见笨笨猪，小鸡吓得"叽叽"
jiào xiǎo yā xià de gā gā jiào
叫，小鸭吓得"嘎嘎"叫。

zhè shì nǎ lǐ zuān chū lái
"这是哪里钻出来
de guài wu
的怪物？"

jī mā ma hé yā mā ma dōu
鸡妈妈和鸭妈妈都
zhè yàng wèn
这样问。

māo mī mī hěn chà yì nǐ men bù rèn shi le zhè shì bèn bèn zhū ya
猫咪咪很诧异："你们不认识了？这是笨笨猪呀！"

āi yā yā cái jǐ tiān méi jiàn bèn bèn zhū nǐ zěn me shòu chéng zhè ge yàng zi shì shēng bìng le ma
"哎呀呀，才几天没见，笨笨猪你怎么瘦成这个样子，是生病了吗？"

wǒ méi bìng wǒ jiǎn féi le
"我……没病，我减肥了。"

jī mā ma jīng jiào qǐ lái nǐ gàn má yào jiǎn féi duì yī tóu zhū lái shuō nǐ bìng bù suàn féi pàng ya
鸡妈妈惊叫起来："你干吗要减肥？对一头猪来说，你并不算肥胖呀！"

shì ya yā mā ma yě shuō zhū jiù yào yǒu zhū de yàng zi nǐ xiàn zài zhè ge yàng zi hái jiào zhū ma
"是呀！"鸭妈妈也说，"猪就要有猪的样子。你现在这个样子，还叫猪吗？"

māo mī mī bù nài fán tīng zhè xiē láo láo dāo dāo de huà tā qiǎng bái dào nǐ men dǒng shén me wǒ yòng shū shang jì suàn biāo zhǔn tǐ zhòng de gōng shì gěi bèn bèn zhū jì suàn guo tā chāo zhòng hěn duō bù jiǎn féi shì hěn wēi xiǎn de
猫咪咪不耐烦听这些唠唠叨叨的话，她抢白道："你们懂什么？我用书上计算标准体重的公式给笨笨猪计算过，他超重很多，不减肥是很危险的！"

kě bèn bèn zhū zěn me jiǎn féi jiǎn de nán kàn le ne
"可笨笨猪怎么减肥减得难看了呢？"

gāng gāng tà jìn mén de bái tù jiě jie hěn yǒu xiē yí huò bù jiě
刚刚踏进门的白兔姐姐很有些疑惑不解。

shì a shì nán kàn le
“是啊，是难看了。”

dà jiā dōu yǒu tóng gǎn
大家都有同感。

māo mī mī yě bù dé bù chéng rèn zhè ge shì shí shū shang míng míng xiě zhe jiǎn féi hòu huì xiǎn de piào liang de zhè shì zěn me huí shì wǒ hái děi kàn kàn shū
猫咪咪也不得不承认这个事实：“书上明明写着减肥后会显得漂亮的。这是怎么回事？我还得看看书。”

māo mī mī ná qǐ nà běn guān yú jiǎn féi de shū kàn le yòu kàn méi cuò shū shang xiě de hěn qīng chu
猫咪咪拿起那本关于减肥的书，看了又看，没错，书上写得很清楚。

kě shì kě shì zhè shì yī běn xiě rén jiǎn féi de shū ér rén hé zhū jì suàn biāo zhǔn tǐ zhòng de gōng shì shì bù yī yàng de hēi yuán lái bù shì shū cuò le shì māo mī mī bǎ shū li de nèi róng yòng cuò le dì fang
可是，可是，这是一本写人减肥的书，而人和猪计算标准体重的公式是不一样的。嘿，原来不是书错了，是猫咪咪把书里的内容用错了地方。

duì bu qǐ bèn bèn zhū dōu guài wǒ dú shū bù zǐ
“对不起，笨笨猪，都怪我读书不仔

xì hài de nǐ
细，害得你……”

mão mī mī nán guò de shuō bù xià qù le
猫咪咪难过得说不下去了。

bié nán guò bèn bèn zhū yī diǎn yě méi shēng qì fǎn
“别难过，”笨笨猪一点也没生气，反
dào ān wèi qǐ māo mī mī lái shuō bu dìng zhè hái shi jiàn hǎo
倒安慰起猫咪咪来，“说不定这还是件好
shì ne
事呢！”

hǎo shì dà jiā bù míng bai bèn bèn zhū de huà
“好事？”大家不明白笨笨猪的话。

zhè cì jiǎn féi shǐ wǒ míng bai le yī gè dào lǐ zhǐ
“这次减肥，使我明白了一个道理：只
yào yǒu jué xīn shén me shì qing dōu kě yǐ zuò chéng gōng de
要有决心，什么事情都可以做成功的。
bǐ rú xiàng wǒ bù shì yóu pàng zhū biàn chéng shòu zhū le ma
比如像我，不是由胖猪变成瘦猪了吗？”

māo mī mī bèi tā dòu lè le tā wèi bèn bèn zhū zhǔ le
猫咪咪被他逗乐了，她为笨笨猪煮了
yī dà guō fàn hái wèi tā zhǔ le liǎng gè dà nán guā
一大锅饭，还为他煮了两个大南瓜，
tā bā bu de bèn bèn zhū
她巴不得笨笨猪
yòu yī xià zi
又一下子
pàng qǐ lái
胖起来。

鹿妹妹，你大胆地往前走

自从笨笨猪在山上那间小茅屋里，看见那卧在地上、站不起来的小鹿后，他心里老想着她，连玩的时候也没心思，一天总要往山上望几遍。

乖乖熊问他：“你老往山上望什么呀？”

“那山上有一只小鹿，她不能站，也不能走，挺可怜的。”

wǒ men wèi shén me bù shàng shān qù kàn kàn tā ne
“我们为什么不上山去看看她呢？
yě xǔ tā zhèng xū yào wǒ men de bāng zhù ne
也许她正需要我们的帮助呢！”

guāi guāi xióng zhēn bù kuì shì bèn bèn zhū de hǎo péng you
乖乖熊真不愧是笨笨猪的好朋友，
tā shuō de zhèng shì bèn bèn zhū xīn li xiǎng de　bèn bèn zhū gāo
他说的正是笨笨猪心里想的。笨笨猪高
xìng de shuō　wǒ men xiàn zài jiù shàng shān ba
兴地说：“我们现在就上山吧！”

tā men lái dào shān shang de máo wū li　lǐ miàn méi yǒu
他们来到山上的茅屋里，里面没有
xiǎo lù　yě méi yǒu xiǎo lù de mā ma
小鹿，也没有小鹿的妈妈。

tā men huì dào nǎr qù ne
“她们会到哪儿去呢？”

guāi guāi xióng shuō　zhè shān shang yǒu láng de　huì bù huì
乖乖熊说：“这山上有狼的，会不会
bèi láng chī le
被狼吃了？”

bèn bèn zhū hé guāi guāi xióng chōng chū mén wài　yào qù zhǎo
笨笨猪和乖乖熊冲出门外，要去找
xiǎo lù hé tā de mā ma
小鹿和她的妈妈。

nǐ men zhǎo shéi ya
“你们找谁呀？”

yī gè yín líng bān de shēng yīn zài zhāo hu tā liǎ
一个银铃般的声音在招呼他俩。

à yuán lái shì xiǎo lù tā zhèng wò zài lí máo wū bù
啊，原来是小鹿！她正卧在离茅屋不
yuǎn de cǎo dì shang shài tài yáng yī shù jīn sè de yáng guāng
远的草地上晒太阳。一束金色的阳光
tòu guò shù shāo shè zài tā shēn shang tā nà hè huáng sè de
透过树梢，射在她身上，她那褐黄色的
pí máo zài shǎn shǎn fā guāng
皮毛在闪闪发光。

bèn bèn zhū hé guāi guāi xióng lái dào tā de shēn biān wǒ
笨笨猪和乖乖熊来到她的身边：“我
men jiù shì lái zhǎo nǐ de
们就是来找你的。”

nǐ men zhǎo wǒ yǒu shì ma
“你们找我有事吗？”

xiǎo lù hū shan zhe liàng jīng jīng de dà yǎn jing tā de
小鹿忽闪着亮晶晶的大眼睛，她的
yǎn jié máo hěn cháng hěn cháng yǎn zhū zi hěn hēi hěn hēi xiàng
眼睫毛很长很长，眼珠子很黑很黑，像
yī duì shǎn shuò de hēi bǎo shí
一对闪烁的黑宝石。

bù méi yǒu shì bèn bèn zhū yáo huàng zhe tā de dà
“不，没有事。”笨笨猪摇晃着他的大
ěr duo wǒ men shì lái zhǎo nǐ wán de
耳朵，“我们是来找你玩的。”

duì duì duì wǒ men shì lái zhǎo nǐ wán de
“对对对，我们是来找你玩的。”

guāi guāi xióng yě còu le shàng qù
乖乖熊也凑了上去。

小鹿垂下眼睛，晶莹的泪珠从她那浓密的睫毛下流出来："我不能站，也不能走，怎么能跟你们玩呢？"

笨笨猪和乖乖熊的心里也很难过，但他们却装出快活的样子，用轻松的语气说："来，我们先帮你站起来。"

笨笨猪和乖乖熊扶着小鹿站起来，还不到三秒钟，小鹿就支持不住了，又趴下去了。她带着哭声说："我怕，我的腿软软的，站不起来。"

笨笨猪忙安慰她说："别着急，我们来想想办

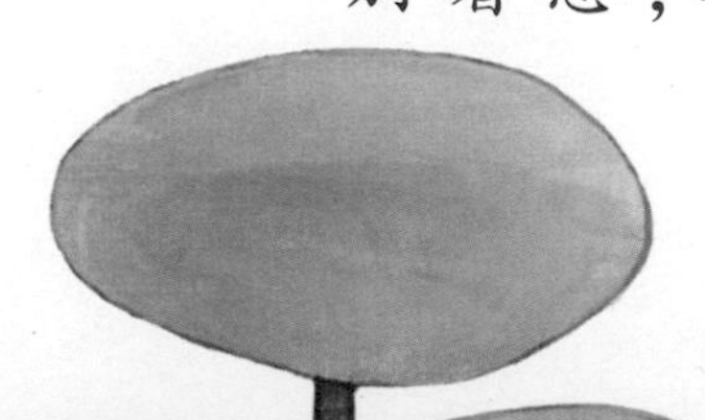

fǎ nǐ yī dìng huì zhàn qǐ lái de
法，你一定会站起来的。”

guāi guāi xióng xiǎng chū le yī gè bàn fǎ wǒ men zuān
乖乖熊想出了一个办法：“我们钻
dào tā de dù zi xià miàn yòng bèi tuó zhù tā de shēn zi zhè
到她的肚子下面，用背驮住她的身子，这
yàng tā jiù bù huì zài pā xià qù le
样，她就不会再趴下去了。”

hǎo bàn fǎ wǒ xiān lái shì shì bèn bèn zhū
“好办法，我先来试试。”笨笨猪
shuō gàn jiù gàn tā xiān ràng guāi guāi xióng bǎ lù mèi mei
说干就干，他先让乖乖熊把鹿妹妹
fú qǐ lái rán hòu tā zuān dào lù mèi mei de dù zi xià
扶起来，然后他钻到鹿妹妹的肚子下
miàn yòng bèi zhī chēng zhe lù mèi mei de shēn tǐ
面，用背支撑着鹿妹妹的身体。

zhàn qǐ lái le zhàn qǐ lái le
“站起来了！站起来了！”

guāi guāi xióng yòu tiào yòu bèng
乖乖熊又跳又蹦。

lù mèi mei yě gē gē de xiào qǐ lái tā xiào
鹿妹妹也“咯咯”地笑起来。她笑
de shēng yīn zhēn hǎo tīng
的声音真好听！

bèn bèn zhū tuó lèi le huàn guāi guāi xióng qù tuó
笨笨猪驮累了，换乖乖熊去驮。

guāi guāi xióng tuó lèi le yòu huàn bèn bèn zhū qù tuó
乖乖熊驮累了，又换笨笨猪去驮。

jiù zhè yàng huàn zhe tuó dào huáng hūn bèn bèn zhū jué de shēn shang jiàn jiàn qīng le hǎo xiàng méi tuó dōng xi yī yàng tā bǎ shēn tǐ wǎng xià dūn le dūn lù mèi mei jū rán méi yǒu pā xià qù tā qīng qīng de cóng tā dù zi xià zuān chū lái lù mèi mei hái shi zhí tǐng tǐng de zhàn zhe

就这样换着驮到黄昏，笨笨猪觉得身上渐渐轻了，好像没驮东西一样。他把身体往下蹲了蹲，鹿妹妹居然没有趴下去。他轻轻地从她肚子下钻出来，鹿妹妹还是直挺挺地站着。

lù mèi mei nǐ néng zhàn le

“鹿妹妹，你能站了！”

bèn bèn zhū jī dòng de shēng yīn dōu zài fā dǒu

笨笨猪激动得声音都在发抖。

lù mèi mei nǐ nǐ zhēn liǎo bu qǐ

“鹿妹妹，你……你真了不起！”

guāi guāi xióng yě jī dòng de bù zhī shuō shén me cái hǎo

乖乖熊也激动得不知说什么才好。

lù mèi mei nà měi lì de yǎn jing li yòu chōng mǎn le lèi shuǐ bù guò zhè bù shì shāng xīn de lèi ér shì gāo xìng de lèi

鹿妹妹那美丽的眼睛里又充满了泪水，不过这不是伤心的泪，而是高兴的泪。

lù mèi mei tiān kuài hēi le wǒ men yào huí jiā le

“鹿妹妹，天快黑了，我们要回家了。”

nǐ men míng tiān hái lái ma

“你们明天还来吗？”

lái wǒ men yī dìng lái bèn bèn zhū hé guāi guāi xióng

“来，我们一定来。”笨笨猪和乖乖熊

qiǎng zhe huí dá wǒ men míng tiān hái yào lái bāng nǐ zǒu lù
抢着回答，“我们明天还要来帮你走路
ne
呢！”

wǒ zhēn néng zǒu lù
“我真能走路？”

néng de nǐ néng zhàn jiù yī dìng néng zǒu lù
“能的，你能站，就一定能走路。”

bèn bèn zhū hé guāi guāi xióng dōu zhè yàng shuō
笨笨猪和乖乖熊都这样说。

xiǎo lù hēi bǎo shí yī yàng de yǎn jing shǎn shuò zhe kuài lè
小鹿黑宝石一样的眼睛闪烁着快乐
de lèi guāng wǒ míng tiān hái zài zhè lǐ děng nǐ men
的泪光：“我明天还在这里等你们。”

bèn bèn zhū hé guāi guāi xióng chàng zhe gē xià le shān tā
笨笨猪和乖乖熊唱着歌下了山，他
men yòu liàn liàn bù shě de wǎng shān shang wàng wàng lù mèi mei
们又恋恋不舍地往山上望望：鹿妹妹
hái zhàn zài shān dǐng shang kàn zhe tā men tā shēn hòu shì mǎn tiān
还站在山顶上看着他们，她身后是满天
de cǎi xiá
的彩霞。

bèn bèn zhū wǒ men míng tiān yòng shén me bàn fǎ bāng tā
“笨笨猪，我们明天用什么办法帮她
zǒu lù ne
走路呢？”

bèn bèn zhū sāo sāo nǎo dai wǒ yě bù zhī dào míng tiān
笨笨猪搔搔脑袋：“我也不知道，明天

zài shuō ba
再说吧！”

wǒ men zuì hǎo néng jīn wǎn bǎ bàn fǎ xiǎng chū lái
“我们最好能今晚把办法想出来。”

bèn bèn zhū huí dá hěn gān cuì yī yán wéi dìng bù
笨笨猪回答很干脆：“一言为定，不
xiǎng chū bàn fǎ lái jué bù shuì jiào
想出办法来，决不睡觉。”

dì èr tiān tiān gāng mā ma liàng bèn bèn zhū hé guāi guāi
第二天，天刚麻麻亮，笨笨猪和乖乖
xióng yǐ zài shàng shān de lù shang le
熊已在上山的路上了。

bèn bèn zhū tūn tūn tǔ tǔ de wèn guāi guāi xióng nǐ
笨笨猪吞吞吐吐地问：“乖乖熊，你
xiǎng xiǎng chū bàn fǎ lái le ma
想……想出办法来了吗？”

guāi guāi xióng bù hǎo yì si de shuō zuó tiān tài lèi
乖乖熊不好意思地说：“昨天太累
le huí jiā hòu dǎo zài chuáng shang jiù shuì zháo le
了，回家后倒在床上就睡着了。”

wǒ yě shì
“我也是。”

shén me nǐ yě shì méi xiǎng chū bàn fǎ jiù shuì zháo
“什么，你也是没想出办法就睡着
le
了？”

bèn bèn zhū hēi hēi de yī xiào kě wǒ zuò mèng
笨笨猪“嘿嘿”地一笑：“可我做梦
le yī gè hǎo mèng
了，一个好梦。”

wǒ yě zuò mèng le yě shì yī gè hǎo mèng
“我也做梦了，也是一个好梦。”

nǐ xiān shuō nǐ mèng jiàn le shén me
“你先说，你梦见了什么？”

guāi guāi xióng shuō wǒ mèng jiàn wǒ men yòng yī gēn mù
乖乖熊说：“我梦见我们用一根木
bàng fàng zài lù mèi mei de dù zi xià miàn
棒，放在鹿妹妹的肚子下面……”

zěn me zhè yàng qiǎo gēn wǒ zuò de mèng yī yàng
“怎么这样巧？跟我做的梦一样。”

bèn bèn zhū hái méi tīng guāi guāi xióng shuō wán biàn jīng qí de dà
笨笨猪还没听乖乖熊说完，便惊奇得大
jiào qǐ lái
叫起来。

wǒ tīng wǒ mā ma jiǎng wǒ men měi wǎn zuò de mèng dōu
“我听我妈妈讲，我们每晚做的梦都
shì yuè liang li de nǚ shén tuō gěi wǒ men de tā yī dìng zhī dào
是月亮里的女神托给我们的。她一定知道
zuó tiān wǒ men liǎ dōu lèi le suǒ yǐ wǎn shang gěi wǒ men liǎ
昨天我们俩都累了，所以晚上给我们俩
yī gè xiāng tóng de mèng zhè ge mèng gào su le wǒ men jīn tiān
一个相同的梦。这个梦告诉了我们今天
zěn yàng bāng zhù lù mèi mei zǒu lù
怎样帮助鹿妹妹走路。”

bèn bèn zhū jué de guāi guāi xióng shuō
笨笨猪觉得乖乖熊说
de hěn duì biàn shuō wǒ men jīn tiān
得很对，便说：“我们今天
jiù àn zhào mèng li de bàn fǎ zuò
就按照梦里的办法做。”

tā men zhǎo dào yī gēn cháng
他们找到一根长
cháng de mù bàng káng zhe lái dào
长的木棒，扛着来到
shān shang de shù lín li lù mèi mei
山上的树林里。鹿妹妹
yǐ jīng zhàn zài nà lǐ děng tā men le
已经站在那里等他们了。

tā men bǎ mù bàng cóng lù mèi mei de qián tuǐ jiān chuān
他们把木棒从鹿妹妹的前腿间穿
jìn qù cóng hòu tuǐ jiān chuān chū lái bèn bèn zhū zài qián miàn
进去，从后腿间穿出来，笨笨猪在前面
tái guāi guāi xióng zài hòu miàn tái
抬，乖乖熊在后面抬。

lù mèi mei xiàng wǒ zhè yàng mài yī bù
“鹿妹妹，像我这样迈一步！”

bèn bèn zhū xiàng qián mài le yī bù lù mèi mei xué zhe
笨笨猪向前迈了一步，鹿妹妹学着
tā de yàng zi zài mù bàng de zhī chēng xià mài chū le dì
他的样子，在木棒的支撑下，迈出了第
yī bù
一步。

hǎo yàng de zài mài yī bù
“好样的，再迈一步！”

bèn bèn zhū yòu cháo qián mài le yī bù lù mèi mei yě gēn
笨笨猪又朝前迈了一步，鹿妹妹也跟
zhe cháo qián yòu mài le yī bù
着朝前又迈了一步。

yuè liang nǚ shén gěi de bàn fǎ hái zhēn líng
月亮女神给的办法还真灵！

bèn bèn zhū hé guāi guāi xióng hún shēn lái jìn
笨笨猪和乖乖熊浑身来劲，
tā men nǐ yī jù wǒ yī jù de chàng le qǐ lái
他们你一句我一句地唱了起来：

lù mèi mei
鹿妹妹
nǐ dà dǎn de wǎng qián zǒu
你大胆地往前走
wǎng qián zǒu ya
往前走呀
mò huí tóu
莫回头

lù mèi mei gē gē de xiào zhe tā zhēn de fàng kāi dǎn zi dà bù de wǎng qián zǒu
鹿妹妹“咯咯”地笑着，她真的放开胆子，大步地往前走。

zǒu zhe zǒu zhe bèn bèn zhū hé guāi guāi xióng qiāo qiāo de bǎ mù bàng wǎng xià fàng lù mèi mei méi yǒu shuāi xià qù tā men suǒ xìng bǎ mù bàng diū zài dì shang lù mèi mei hái zài dà bù xiàng qián zǒu
走着走着，笨笨猪和乖乖熊悄悄地把木棒往下放，鹿妹妹没有摔下去；他们索性把木棒丢在地上，鹿妹妹还在大步向前走。

bèn bèn zhū hé guāi guāi xióng pǎo shàng qù shuō lù mèi mei nǐ huì zǒu lù le
笨笨猪和乖乖熊跑上去说：“鹿妹妹，你会走路了！”

lù mèi mei jì xù xiàng qián zǒu bié hǒng wǒ le méi
鹿妹妹继续向前走：“别哄我了，没

yǒu mù bàng zhī chēng zhe wǒ wǒ shì bù néng zǒu de
有木棒支撑着我，我是不能走的。”

nǐ zhēn de huì zǒu lù le bèn bèn zhū shuō nǐ
“你真的会走路了！”笨笨猪说，“你
wǎng hòu kàn wǒ men zǎo bǎ nà gēn mù bàng shuǎi le
往后看，我们早把那根木棒甩了。”

lù mèi mei wǎng hòu yī kàn nà mù bàng guǒ rán bèi yuǎn
鹿妹妹往后一看，那木棒果然被远
yuǎn de pāo zài hòu miàn tā kàn kàn bèn bèn zhū yòu kàn kàn guāi
远地抛在后面。她看看笨笨猪，又看看乖
guāi xióng bù gǎn xiāng xìn zhè shì zhēn de wǒ néng zǒu lù
乖熊，不敢相信这是真的：“我能走路
le
了？”

lù mèi mei duì zhe qīng shān fàng shēng huān hū wǒ néng
鹿妹妹对着青山放声欢呼：“我能
zǒu lù le
走路了！”

shān gǔ li jiǔ jiǔ de huí dàng zhe wǒ néng zǒu lù le
山谷里久久地回荡着：“我能走路了！”
lán tiān zhī dao le dà dì zhī dào le quán shì jiè dōu
蓝天知道了，大地知道了，全世界都
zhī dào le lù mèi mei néng zǒu lù le
知道了——鹿妹妹能走路了！

nǐ hǎo xiǎo huī láng

你好，小灰狼

bèn bèn zhū hé guāi guāi xióng tiān tiān shàng shān péi lù mèi
笨笨猪和乖乖熊天天上山陪鹿妹
mei liàn xí zǒu lù zǒu zhe zǒu zhe lù mèi mei néng pǎo le suī
妹练习走路。走着走着，鹿妹妹能跑了，虽
rán zhǐ néng pǎo jǐ bù ér qiě pǎo de hěn màn hěn màn
然只能跑几步，而且跑得很慢很慢。

tā men wèi lù mèi mei de měi yī gè jìn bù ér gāo xìng
他们为鹿妹妹的每一个进步而高兴。

lù mèi mei wǒ men lái sài pǎo ba
“鹿妹妹，我们来赛跑吧！”

bù xíng bù xíng wǒ pǎo bù guò nǐ men
“不行，不行！我跑不过你们。”

guāi guāi xióng xiǎng qǐ le tā cháng hé bèn bèn zhū wán de
乖乖熊想起了他常和笨笨猪玩的
yī zhǒng yóu xì bǎ wǒ de yī tiáo tuǐ hé bèn bèn zhū de yī
一种游戏：“把我的一条腿和笨笨猪的一

tiáo tuǐ bǎng zài yī qǐ zhè yàng lái bǐ sài kě yǐ ba
条腿绑在一起，这样来比赛，可以吧？”

hǎo bǐ jiù bǐ shéi xiān pǎo dào qián miàn nà kē dà sōng shù qián shéi jiù yíng le
“好，比就比，谁先跑到前面那棵大松树前，谁就赢了！”

jié guǒ shì lù mèi mei xiān pǎo dào nà kē dà sōng shù qián
结果是鹿妹妹先跑到那棵大松树前。

wǒ yíng le wǒ yíng le
“我赢了，我赢了！”

dào hòu lái bèn bèn zhū hé guāi guāi xióng de tuǐ bù bǎng zài yī qǐ lù mèi mei yě néng hé tā men pǎo gè bù xiāng shàng xià
到后来，笨笨猪和乖乖熊的腿不绑在一起，鹿妹妹也能和他们跑个不相上下。

zài hòu lái bèn bèn zhū hé guāi guāi xióng yǐ bù shì lù mèi mei de duì shǒu le jiù shì ràng tā men xiān pǎo yī bǎi mǐ lù mèi mei yě néng gǎn shàng tā men
再后来，笨笨猪和乖乖熊已不是鹿妹妹的对手了，就是让他们先跑一百米，鹿妹妹也能赶上他们。

zuì hòu lù mèi mei bù jǐn néng pǎo hái néng tiào le tā de dǎn zi yuè lái yuè dà jū rán yào qù tiào nà yǒu yī zhàng duō kuān de shān jiàn
最后，鹿妹妹不仅能跑，还能跳了。她的胆子越来越大，居然要去跳那有一丈多宽的山涧。

lù mèi mei tài wēi xiǎn le nǐ bù yào qù tiào
“鹿妹妹，太危险了，你不要去跳！”

bèn bèn zhū de huà yīn wèi luò lù mèi mei yǐ téng kōng ér
笨笨猪的话音未落，鹿妹妹已腾空而
qǐ shēn tǐ xiàng yī dào jīn huáng de hú xiàn huá guò shān jiàn
起，身体像一道金黄的弧线，划过山涧。

lù mèi mei huí tóu yī xiào tā de liǎn shang méi yǒu le
鹿妹妹回头一笑，她的脸上没有了
wǎng rì de yōu shāng zhǐ yǒu rú zhāo yáng bān de càn làn hé míng
往日的忧伤，只有如朝阳般的灿烂和明
lǎng tā de yǎn jing gèng hēi gèng liàng shǎn shuò zhe wú bǐ de
朗。她的眼睛更黑更亮，闪烁着无比的
xǐ yuè
喜悦。

bèn bèn zhū hé guāi guāi xióng yòu jīng yòu xǐ tā men zài
笨笨猪和乖乖熊又惊又喜，他们再
yě yòng bù zháo wèi tā dān xīn le
也用不着为她担心了。

lù mèi mei zài tiào yī cì
“鹿妹妹，再跳一次！”

yòu rú yī dào jīn sè de hú xiàn huá guò lái sān gè xiǎo
又如一道金色的弧线划过来，三个小
huǒ bàn bào zài yī qǐ tiào a xiào a
伙伴抱在一起跳啊，笑啊！

tā men nǎ lǐ zhī dào zhè shí yǒu yī zhī xiǎo huī láng
他们哪里知道，这时，有一只小灰狼
zhèng duǒ zài shù cóng hòu miàn tōu tōu de kuī shì tā men tā de
正躲在树丛后面，偷偷地窥视他们，他的
dù zi zhèng è de gū gū jiào ne
肚子正饿得“咕咕”叫呢！

lù mèi mei de ěr duo líng tā tīng jiàn le zhè dù zi jiào
鹿妹妹的耳朵灵，她听见了这肚子叫
de shēng yīn
的声音。

wǒ zěn me tīng jiàn yǒu gū gū jiào de shēng yīn
“我怎么听见有‘咕咕’叫的声音？”

guāi guāi xióng cāi yī dìng shì bèn bèn zhū yòu è le
乖乖熊猜，一定是笨笨猪又饿了。

shì nǐ de dù zi zài jiào ma
“是你的肚子在叫吗？”

bèn bèn zhū pāi pāi tā yuán gǔn gǔn de dù zi bù shì
笨笨猪拍拍他圆滚滚的肚子：“不是
wǒ wǒ jīn tiān chī de tǐng bǎo de
我，我今天吃得挺饱的。”

lù mèi mei shù qǐ ěr duo yòu tīng le yī zhèn rán hòu
鹿妹妹竖起耳朵，又听了一阵，然后
zǒu xiàng nà piàn shù cóng guǒ rán tā zài nà lǐ fā xiàn le yī
走向那片树丛，果然，她在那里发现了一
shuāng jī è de yǎn jing
双饥饿的眼睛。

nǐ hǎo xiǎo huī láng
“你好，小灰狼！”

xiǎo huī láng hěn jīng qí nǐ jiàn le wǒ zěn me bù pǎo
小灰狼很惊奇："你见了我，怎么不跑？"

lù mèi mei zhǎ zhǎ yǎn jing tiān zhēn de wèn dào wǒ wèi shén me yào pǎo
鹿妹妹眨眨眼睛，天真地问道："我为什么要跑？"

zhè shí bèn bèn zhū hé guāi guāi xióng yě guò lái le jiàn
这时，笨笨猪和乖乖熊也过来了，见

le xiǎo huī láng tā men qí shēng zhāo hu dào nǐ hǎo xiǎo huī
了小灰狼，他们齐声招呼道：“你好，小灰
láng
狼！”

xiǎo huī láng gèng jīng qí le nǐ men jiàn le wǒ zěn
小灰狼更惊奇了：“你们见了我，怎
me yě bù hài pà
么也不害怕？”

bèn bèn zhū hé guāi guāi xióng mò míng qí miào wǒ men wèi
笨笨猪和乖乖熊莫名其妙：“我们为
shén me yào hài pà
什么要害怕？”

wǒ bà ba shuō chú le lǎo hǔ bào zi hé
“我爸爸说，除了老虎、豹子和
shī zi wài qí tā de dòng wù jiàn le wǒ men dōu
狮子外，其他的动物见了我们，都
yào xià pǎo de
要吓跑的。”

nǐ bà ba shì shéi
“你爸爸是谁？”

hēi wǒ bà ba nǐ men dōu bù zhī dào tā
“嘿！我爸爸你们都不知道？他
shì zhè shān shang dǐng dǐng yǒu míng de dà huī láng
是这山上鼎鼎有名的大灰狼。”

dà huī láng lù mèi mei kāi shǐ gǎn dào
“大灰狼？”鹿妹妹开始感到
hài pà le wǒ mā ma shuō dà huī láng shì zuì
害怕了，“我妈妈说，大灰狼是最

zuì xiōng è de tā chī diào le zhè shān shang hǎo duō hǎo duō xiǎo
最凶恶的，他吃掉了这山上好多好多小
dòng wù xiǎo huī láng nǐ bù huì chī wǒ men ba
动物。小灰狼，你不会吃我们吧？”

xiǎo huī láng kàn kàn xiān nèn de lù mèi mei yòu kàn kàn pàng
小灰狼看看鲜嫩的鹿妹妹，又看看胖
pàng de bèn bèn zhū shēn shēn bó zi yàn xià yī kǒu kuài liú chū
胖的笨笨猪，伸伸脖子，咽下一口快流出
lái de kǒu shuǐ zì cóng tā shēng xià lái bù shì bèi xiōng měng
来的口水。自从他生下来，不是被凶猛
de dà dòng wù zhuī bǔ jiù shì qù zhuī bǔ nà xiē ruò xiǎo de
的大动物追捕，就是去追捕那些弱小的
dòng wù cóng lái méi yǒu shéi lái zhǔ dòng jiē jìn tā gèng méi yǒu
动物，从来没有谁来主动接近他，更没有
shéi xiàng tā wèn hǎo
谁向他问好。

wǒ bù xiǎng chī nǐ men zhǐ xiǎng hé nǐ men yī qǐ wán
“我不想吃你们，只想和你们一起玩。”

bèn bèn zhū guāi guāi xióng lì jí hé xiǎo huī láng yōng bào
笨笨猪、乖乖熊立即和小灰狼拥抱
zài yi qǐ wǒ men yòu duō le yī gè péng you
在一起：“我们又多了一个朋友。”

xì xīn de lù mèi mei shuō xiǎo huī láng gāng cái shì
细心的鹿妹妹说：“小灰狼，刚才是
nǐ de dù zi è de gū gū jiào ba zǒu dào wǒ jiā chī
你的肚子饿得‘咕咕’叫吧？走，到我家吃
fàn qù
饭去！”

tā men lái dào lù mèi mei de máo cǎo wū lù mèi mei bǎ
他们来到鹿妹妹的茅草屋，鹿妹妹把
tā jiā néng chī de dōng xi quán ná chū lái le yī dà kuài miàn
她家能吃的东西全拿出来了：一大块面
bāo yī guàn zi niú nǎi yī dà píng cǎo méi jiàng yī pán qiǎo
包、一罐子牛奶、一大瓶草莓酱、一盘巧
kè lì zhè me duō dōng xi bǎi le mǎn mǎn yī zhuō zi
克力。这么多东西摆了满满一桌子。

xiǎo huī láng dūn zài cān yǐ shang bù zhī zhè xiē dōng xi
小灰狼蹲在餐椅上，不知这些东西
gāi zěn me chī lù mèi mei wèi tā qiē miàn bāo bèn bèn zhū tì
该怎么吃。鹿妹妹为他切面包，笨笨猪替
tā dào niú nǎi guāi guāi xióng bāng tā bǎ cǎo méi jiàng mǒ zài miàn
他倒牛奶，乖乖熊帮他把草莓酱抹在面
bāo shang
包上。

xiǎo huī láng dà jiáo zhe yǎn jing hái gū lū lū de sǎo zhe
小灰狼大嚼着，眼睛还骨碌碌地扫着
zhuō shang de dōng xi tā yǐ jīng sān tiān sān yè méi chī dōng xi
桌上的东西，他已经三天三夜没吃东西
le
了。

nǐ sān tiān méi chī dōng xi le
“你三天没吃东西了？”

xiǎo huī láng hái zài yòng shé tou tiǎn zhe zuǐ jiǎo de cǎo méi
小灰狼还在用舌头舔着嘴角的草莓
jiàng
酱。

MILK

“三天前，我爸爸被猎人打伤了一条腿。他告诉我，在这山顶上有一座茅草屋，茅草屋里有一只不能走路的小鹿。他叫我来把这只小鹿吃了，吃不完的给他拖回去。可我在这里找了三天，也没找到一只不能走路的小鹿。”

“那只不能走路的小鹿就是我呀！”

“怎么会是你？”小灰狼看看鹿妹妹，不相信地摇摇头，“你跑得那么快，还能跳那么宽的山涧……”

“是的，这得感谢笨笨猪和乖乖熊，是他俩帮我站起来，帮我学会走路的。”

鹿妹妹说着，向笨笨猪和乖乖熊投

qù gǎn jī de mù guāng
去感激的目光。

xiǎo huī láng zì xiǎo shēng zhǎng zài yī gè méi yǒu yǒu ài méi yǒu huān lè de huán jìng zhōng tā hěn xiàn mù lù mèi mei rú guǒ tā yě néng dé dào yī fèn zhè yàng de yǒu qíng nà gāi duō hǎo a
小灰狼自小生长在一个没有友爱、没有欢乐的环境中，他很羡慕鹿妹妹，如果他也能得到一份这样的友情，那该多好啊！

nǐ men zhēn hǎo rú guǒ wǒ néng zuò nǐ men de péng you jiù hǎo le
“你们真好，如果我能做你们的朋友就好了！”

wǒ men xiàn zài bù jiù yǐ jīng shì péng you le ma
“我们现在不就已经是朋友了吗？”

bèn bèn zhū hé guāi guāi xióng zài yī cì hé xiǎo huī láng jǐn jǐn yōng bào
笨笨猪和乖乖熊再一次和小灰狼紧紧拥抱。

xiǎo huī láng nǐ bà ba zuò mèng yě méi xiǎng dào nǐ huì tóng wǒ men zuò péng you ba
“小灰狼，你爸爸做梦也没想到，你会同我们做朋友吧？”

tā ya zhèng děng zhe wǒ bǎ lù mèi mei tuō huí qù gěi tā chī ne
“他呀，正等着我把鹿妹妹拖回去给他吃呢！”

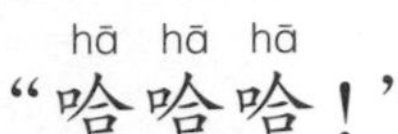

hā hā hā
"哈哈哈！"

xiǎo huī láng nǐ bà ba xiàn zài yī dìng è zhe dù zi
"小灰狼，你爸爸现在一定饿着肚子，
wǒ men gěi tā sòng xiē shí wù qù ba
我们给他送些食物去吧！"

lù mèi mei yī biān shuō yī biān bǎ zhuō shang de shí wù
鹿妹妹一边说，一边把桌上的食物
fàng jìn yī gè dà lán zi li
放进一个大篮子里。

xiǎo huī láng zài qián miàn dài lù bèn bèn zhū tuó zhe zhuāng
小灰狼在前面带路，笨笨猪驮着装
mǎn shí wù de lán zi guāi guāi xióng bào zhe chéng mǎn xiān nǎi de
满食物的篮子，乖乖熊抱着盛满鲜奶的
guàn zi lù mèi mei zuǒ tiào yòu tiào yī lù cǎi zhe xīng xing yī
罐子，鹿妹妹左跳右跳，一路采着星星一
yàng de shān huā
样的山花。

dào le hòu shān xiǎo huī láng bǎ tā men yǐn jìn
到了后山，小灰狼把他们引进
yī gè shān dòng li lǐ miàn hēi hū hū de shén me
一个山洞里，里面黑糊糊的，什么
yě kàn bù jiàn
也看不见。

xiǎo huī láng diǎn shàng dēng tā men zhè cái kàn qīng
小灰狼点上灯，他们这才看清
chu dà huī láng wò zài dì shang liǎng yǎn wēi bì è
楚大灰狼卧在地上，两眼微闭，饿

de zhǐ shèng xià yī kǒu qì le
得只剩下一口气了。

bà ba wǒ huí lái le
“爸爸，我回来了！”

dà huī láng màn màn zhēng kāi yǎn jing tā kàn jiàn le lù mèi mei nèn nèn de kàn jiàn le bèn bèn zhū féi féi de kàn jiàn le guāi guāi xióng pàng pàng de dà huī láng de yǎn jing liàng qǐ lái
大灰狼慢慢睁开眼睛，他看见了鹿妹妹，嫩嫩的；看见了笨笨猪，肥肥的；看见了乖乖熊，胖胖的。大灰狼的眼睛亮起来。

hǎo wa ér zi bù kuì shì wǒ dà huī láng de ér zi yī chū qù jiù dài zhè me duō hǎo chī de dōng xi huí lái
“好哇，儿子，不愧是我大灰狼的儿子，一出去，就带这么多好吃的东西回来。”

dà huī láng liě zuǐ xiào le kě yǎn jing li què shǎn zhe xiōng guāng
大灰狼咧嘴笑了，可眼睛里却闪着凶光。

xiǎo huī láng huāng le máng shuō bà ba tā men dōu shì wǒ de péng you
小灰狼慌了，忙说：“爸爸，他们都是我的朋友。”

shì ya wǒ men shì xiǎo huī láng de péng you yě shì
“是呀，我们是小灰狼的朋友，也是

nǐ de péng you
你的朋友。”

lù mèi mei xiàn shàng nà shù tā gāng cǎi de xiān huā zhù
鹿妹妹献上那束她刚采的鲜花：“祝
nǐ zǎo rì huī fù jiàn kāng
你早日恢复健康！”

jiē zhe bèn bèn zhū hé guāi guāi xióng yòu gěi tā sòng shàng
接着，笨笨猪和乖乖熊又给他送上
shí wù
食物。

dà huī láng de yǎn jing li bù zài shǎn zhe xiōng guāng le
大灰狼的眼睛里不再闪着凶光了，
kě shēng yīn hái shi è hěn hěn de nǐ men bù pà wǒ chī diào
可声音还是恶狠狠的：“你们不怕我吃掉
nǐ men bèn bèn zhū guāi guāi xióng hé lù mèi mei dōu kàn zhe
你们？”笨笨猪、乖乖熊和鹿妹妹都看着
dà huī láng méi yǒu yī sī wèi jù
大灰狼，没有一丝畏惧。

jiù zhè yàng duì shì zhe zú zú yǒu sān fēn zhōng
就这样对视着，足足有三分钟。

dà huī láng dī xià tóu lái tā dì yī cì dǒng de le
大灰狼低下头来，他第一次懂得了
shén me shì chún zhēn shén me shì shàn liáng
什么是纯真，什么是善良。

tā bù zài shuō huà mò mò de chī zhe lán zi li de shí
他不再说话，默默地吃着篮子里的食
wù hē zhe guàn zi li de xiān nǎi liú zhe tā cóng lái méi yǒu
物，喝着罐子里的鲜奶，流着他从来没有

liú guo de yǎn lèi
流过的眼泪……

bà ba nǐ kū
“爸爸，你哭
le
了？”

xiǎo huī láng jiàn guo
小灰狼见过
bà ba kuáng xiào jiàn guo
爸爸狂笑，见过
bà ba fā nù jiù shì méi jiàn guo bà ba kū
爸爸发怒，就是没见过爸爸哭。

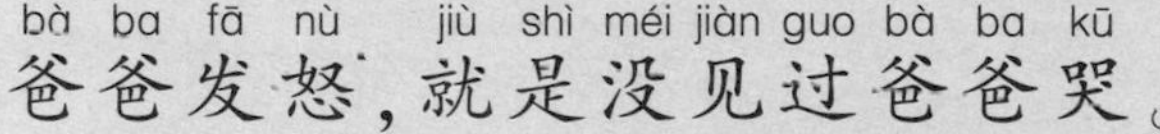

ér zi nǐ bà ba yǐ qián zuò guo xǔ duō huài shì
“儿子，你爸爸以前做过许多坏事，
shāng hài le xǔ duō xiǎo dòng wù nǐ bù yào xué wǒ hǎo hǎo de
伤害了许多小动物，你不要学我，好好地
gēn tā men zuò péng you ba tā men dōu shì hǎo hái zi
跟他们做朋友吧，他们都是好孩子。”

sì gè xiǎo huǒ bàn yōng bào zài yī qǐ tā men yòu chàng
四个小伙伴拥抱在一起，他们又唱
yòu tiào yī zhèn zhèn huān lè de xiào shēng cóng shān dòng li fēi
又跳，一阵阵欢乐的笑声从山洞里飞
chū lái lǐ miàn hái yǒu dà huī láng shuǎng lǎng de xiào shēng
出来，里面还有大灰狼爽朗的笑声。

qǐng dào huān lè cūn zhuāng lái

请到欢乐村庄来

tīng shuō dà huī láng de ér zi xiǎo huī láng gēn huān lè cūn
听说大灰狼的儿子小灰狼跟欢乐村
zhuāng de bèn bèn zhū guāi guāi xióng hái yǒu shān dǐng shang de lù
庄的笨笨猪、乖乖熊，还有山顶上的鹿
mèi mei jiāo shàng le péng you hú li xiān sheng hé hú li tài tai
妹妹交上了朋友，狐狸先生和狐狸太太
zài jiā li bǎ dà huī láng mà le bàn tiān mà tā jiào zǐ wú
在家里把大灰狼骂了半天，骂他教子无
fāng bù pèi zuò bà ba bù guò mà shì mà le zǒng děi qù
方，不配做爸爸。不过，骂是骂了，总得去
bāng tā guǎn jiào guǎn jiào tā de ér zi yīn wèi tā men yǐ qián
帮他管教管教他的儿子，因为他们以前
bì jìng hé huǒ gàn guo yī xiē huài shì hái shi yǒu yī diǎn jiāo qing
毕竟合伙干过一些坏事，还是有一点交情
de
的。

hú li xiān sheng dài zhe hú li tài tai qì xiū xiū de lái
狐狸先生带着狐狸太太气咻咻地来
dào dà huī láng de shān dòng li jiàn dà huī láng zhèng bì mù yǎng
到大灰狼的山洞里。见大灰狼正闭目养
shén zuǐ li hái yú kuài de hēng zhe xiǎo diào hú li xiān sheng
神，嘴里还愉快地哼着小调，狐狸先生
gèng shì yī dù zi qì
更是一肚子气。

wǒ wèn nǐ nǐ de ér zi ne
“我问你，你的儿子呢？”

ò tā gēn tā de péng you men cǎi yào qù le shuō
“哦，他跟他的朋友们采药去了，说
shì yào gěi wǒ fū shāng kǒu
是要给我敷伤口。”

hng tā de péng you men hú li xiān sheng lěng xiào
“哼，他的朋友们！”狐狸先生冷笑
yī shēng nǐ yě bù guǎn guǎn tā zěn me néng ràng tā jiāo zhè
一声，“你也不管管他，怎么能让他交这
yàng de péng you
样的朋友？”

dà huī láng zhēng biàn dào tā men dōu shì xiē shàn liáng
大灰狼争辩道：“他们都是些善良
de hái zi duì wǒ men tǐng yǒu hǎo de qiáo zhè shì tā men gěi
的孩子，对我们挺友好的。瞧，这是他们给
wǒ dài lái de shí wù
我带来的食物。”

hú li tài tai còu shàng qù xiù le xiù sǒng sǒng bí zi
狐狸太太凑上去嗅了嗅，耸耸鼻子：

tǐng xiāng de
“挺香的。”

hú shuō hú li xiān sheng lì shēng hè zhù le hú li
“胡说！”狐狸先生厉声喝住了狐狸
tài tai yòu zuò chū lǎo móu shēn suàn de yàng zi duì dà huī láng
太太，又做出老谋深算的样子对大灰狼
shuō zhè shí wù li shí yǒu bā jiǔ shì xià le dú de
说，“这食物里十有八九是下了毒的。”

nǐ de yí xīn yě tài zhòng le wǒ yǐ chī xià le hěn
“你的疑心也太重了。我已吃下了很
duō huó de bù shì hǎo hāor de ma
多，活得不是好好儿的吗？”

duì zhè wèi mí shī le běn xìng de lǎo péng you hú li xiān
对这位迷失了本性的老朋友，狐狸先
sheng gǎn dào shí fēn shī wàng tā cháng cháng de tàn le yī kǒu
生感到十分失望。他长长地叹了一口
qì jǐn suǒ méi tóu yīn wèi tā cháng cháng bù kāi xīn zuì ài
气，紧锁眉头。因为他常常不开心，最爱
zhòu méi tóu shí jiān cháng le méi tóu shang yī zuǒ yī yòu zhǎng
皱眉头，时间长了，眉头上一左一右长
chū liǎng gè bāo lái xiàn zài nà liǎng gè bāo xiǎn de gèng dà le
出两个包来。现在那两个包显得更大了，
chén zhòng de yā zài tā nà liǎng zhī yīn sēn sēn de yǎn jing shang
沉重地压在他那两只阴森森的眼睛上。

zhè shí shān dòng wài chuán lái yī zhèn jiǎo bù shēng hú
这时，山洞外传来一阵脚步声，狐
li xiān sheng lì jí jǐng jué de shù qǐ ěr duo shǎn shēn zhàn jù
狸先生立即警觉地竖起耳朵，闪身占据

le shān dòng zhōng zuì yǒu lì de dì shì
了山洞中最有利的地势。

dà huī láng xiào le xiào bié jǐn zhāng shì tā men huí
大灰狼笑了笑："别紧张，是他们回
lái le
来了。"

hú li xiān sheng réng wèi fàng sōng jǐng tì
狐狸先生仍未放松警惕。

xiǎo huī láng jìn lái le tā dài zhe yī liǎn
小灰狼进来了，他带着一脸
de xǐ yuè guāi guāi xióng jìn lái le tā kuà zhe
的喜悦；乖乖熊进来了，他挎着
yī lán zi cǎo yào lù mèi mei jìn lái le zuǐ li
一篮子草药；鹿妹妹进来了，嘴里
xián zhe yī duǒ xiān huā bèn bèn zhū jìn lái le bèi
衔着一朵鲜花；笨笨猪进来了，背
shang tuó zhe hú li xiān sheng hé hú li tài tai de
上驮着狐狸先生和狐狸太太的
bǎo bèi ér zi xiǎo hú li
宝贝儿子——小狐狸。

xiǎo hú li yī kàn tā bà ba mā ma dōu zài zhè lǐ lì
小狐狸一看他爸爸妈妈都在这里，立
jí yòu kū kāi le hǎo téng a hǎo téng a
即又哭开了："好疼啊！好疼啊！"

hú li xiān sheng hé hú li tài tai měng pū shàng qù lù
狐狸先生和狐狸太太猛扑上去，鹿
mèi mei xià de zhí wǎng xiǎo huī láng de shēn hòu duǒ
妹妹吓得直往小灰狼的身后躲。

kuài shuō tā men bǎ nǐ zěn me le
“快说，他们把你怎么了？”

tā men tā men jiù le wǒ
“他们……他们救了我。”

shén me tā men jiù le nǐ
“什么，他们救了你？”

hú li xiān sheng hé hú li tài tai dōu jué de zì jǐ de ěr duo chū le máo bìng bù yuē ér tóng de dǒu le dǒu ěr duo
狐狸先生和狐狸太太都觉得自己的耳朵出了毛病，不约而同地抖了抖耳朵。

yuán lái xiǎo hú li yī zǎo chū qù mì shí jiàn dì shang yǒu yī kuài hái dài zhe xuè de xiān ròu zhèng děng zhe tā xiǎo hú li xīn zhōng àn àn gāo xìng gāng zǒu jìn nà kuài ròu zhǐ tīng pā de yī shēng bǔ liè de jiā zi jiā zhù le tā de yī tiáo tuǐ xiǎo hú li nǎ lǐ zhī dào nà kuài ròu zhèng shì liè rén bù xià de yòu ěr
原来，小狐狸一早出去觅食，见地上有一块还带着血的鲜肉正等着他。小狐狸心中暗暗高兴，刚走近那块肉，只听“啪”的一声，捕猎的夹子夹住了他的一条腿。小狐狸哪里知道，那块肉正是猎人布下的诱饵。

xiǎo hú li pīn mìng de zhēng zhá zhèng chū le yī shēn hàn zhè gāi sǐ de bǔ liè jiā hái shi jǐn
小狐狸拼命地挣扎，挣出了一身汗，这该死的捕猎夹还是紧

jǐn de jiā zhù tā de tuǐ
紧地夹住他的腿。

xiǎo hú li xīn li hài pà jí le tā xiǎng dà shēng hǎn bà ba mā ma lái jiù tā kě yòu pà hǎn shēng yǐn lái le liè rén
小狐狸心里害怕极了，他想大声喊爸爸妈妈来救他，可又怕喊声引来了猎人。

zhèng dāng xiǎo hú li jué wàng de shí hou bèn bèn zhū tā men lái le
正当小狐狸绝望的时候，笨笨猪他们来了。

à wǒ yǒu jiù le kě shì tā men bù huì jiù wǒ ér qiě wǒ huì sǐ de gèng kuài
“啊，我有救了！可是他们不会救我，而且，我会死得更快。”

xiǎo hú li jué wàng le tā bì zhe yǎn jing děng sǐ
小狐狸绝望了，他闭着眼睛等死。

nǐ men kàn nà lǐ yǒu yī zhī xiǎo hú li zài shuì jiào
“你们看，那里有一只小狐狸在睡觉！”

xiǎo hú li tīng jiàn tā men cháo tā zǒu lái xià de hún shēn fā dǒu
小狐狸听见他们朝他走来，吓得浑身发抖。

āi yā shì liè rén de bǔ liè jiā jiā zhù le tā de tuǐ
“哎呀，是猎人的捕猎夹夹住了他的腿。”

xiǎo hú li tīng chū lái le zhè shì xiǎo huī láng de shēng
小狐狸听出来了，这是小灰狼的声

yīn zhēn qí guài xiǎo huī láng zěn me gēn tā men zài yī qǐ
音。真奇怪，小灰狼怎么跟他们在一起？

nǐ men jiù bù jiù tā
“你们救不救他？”

zhè yòu shì xiǎo huī láng de shēng yīn
这又是小灰狼的声音。

jiù zěn me néng jiàn sǐ bù jiù ne
“救，怎么能见死不救呢？”

xiǎo hú li zhēng kāi yǎn tā kàn jiàn shuō zhè huà de jìng
小狐狸睁开眼，他看见说这话的竟

shì tā dǐng dǐng qiáo bu qǐ de zhū hái zài tā hěn xiǎo de shí
是他顶顶瞧不起的猪。还在他很小的时
hou tā de bà ba mā ma jiù gào su tā shì jiè shang zuì zuì
候，他的爸爸妈妈就告诉他：世界上最最
cōng míng de shì hú li zuì zuì yú chǔn de shì zhū
聪明的是狐狸，最最愚蠢的是猪。

bèn bèn zhū shuō zhe jiù qù bān nà jiā zi jiā zi jiā de
笨笨猪说着就去扳那夹子，夹子夹得
tài jǐn bān bù kāi guāi guāi xióng qù bāng máng hái shi bān bù
太紧，扳不开。乖乖熊去帮忙，还是扳不
kāi zuì hòu xiǎo huī láng hé lù mèi mei yī qǐ shàng tóng xīn xié
开。最后小灰狼和鹿妹妹一起上，同心协
lì hǎn yī èr sān de kǒu lìng cái bǎ bǔ liè jiā bān kāi
力，喊“一二三”的口令，才把捕猎夹扳开。

xiǎo hú li dé jiù le kě shì tā de tuǐ bèi jiā shāng
小狐狸得救了！可是他的腿被夹伤
le bù néng zǒu lù zhèng qiǎo tā men gěi dà huī láng cǎi le hěn
了，不能走路。正巧他们给大灰狼采了很
duō yào suǒ yǐ bǎ xiǎo hú li tuó dào zhè lǐ lái yě xiǎng gěi
多药，所以把小狐狸驮到这里来，也想给
tā shàng diǎn yào
他上点药。

tīng xiǎo hú li bǎ jīng guò jiǎng wán hòu hú li tài tai duì
听小狐狸把经过讲完后，狐狸太太对
bèn bèn zhū tā men yǐ jīng méi yǒu yī diǎn dí yì tā yáo zhe cū
笨笨猪他们已经没有一点敌意。她摇着粗
dà de wěi ba duì bèn bèn zhū tā men biǎo shì gǎn xiè
大的尾巴，对笨笨猪他们表示感谢。

xiè xie nǐ men jiù le wǒ de hái zi
“谢谢你们救了我的孩子。”

hú li xiān sheng què tuī kāi tā jìng zhí zǒu dào bèn bèn
狐狸先生却推开她，径直走到笨笨
zhū gēn qián yī bǎ zhuā zhù tā de bó zi liǎng yǎn bī shì zhe
猪跟前，一把抓住他的脖子，两眼逼视着
tā yǎo yá qiè chǐ de shuō nǐ shuō nǐ dào dǐ ān de shén
他，咬牙切齿地说：“你说，你到底安的什
me xīn
么心？”

bèn bèn zhū quán shēn duō suo qǐ lái tā zhǎng zhè me dà
笨笨猪全身哆嗦起来。他长这么大，

hái cóng lái méi yǒu shéi duì tā zhè me xiōng guo tā lǎo lǎo shí
还从来没有谁对他这么凶过。他老老实
shí de huí dá wǒ de xīn bù bù shì ān de shì
实地回答："我的心不……不是安的，是
shì zhǎng de
……是长的。"

dà huī láng hā hā dà xiào huí dá de tài miào le
大灰狼哈哈大笑："回答得太妙了！"

wǒ zài wèn nǐ nǐ wèi shén me yào jiù wǒ de hái
"我再问你，你为什么要救我的孩
zi
子？"

wǒ bù zhī dào tā shì nǐ de hái zi wǒ zhǐ zhī dào
"我不知道他是你的孩子，我只知道
tā shì yī zhī shòu shāng de xiǎo hú li rú guǒ wǒ men bù jiù
他是一只受伤的小狐狸，如果我们不救
tā tā huì sǐ de
他，他会死的。"

hú li xiān sheng fàng kāi bèn bèn zhū réng rán yí xīn chóng
狐狸先生放开笨笨猪，仍然疑心重
chóng tā méi tóu shang de liǎng gè bāo hái shi gǔ gǔ de
重。他眉头上的两个包还是鼓鼓的。

xiǎo hú li jué de tā bà ba zhè yàng duì dài bèn bèn zhū
小狐狸觉得他爸爸这样对待笨笨猪
tài bù gōng píng le wèi le xiàng bà ba biǎo shì kàng yì xiǎo hú
太不公平了。为了向爸爸表示抗议，小狐
li bào zhù bèn bèn zhū hé tā liǎn tiē zhe liǎn dà shēng shuō
狸抱住笨笨猪，和他脸贴着脸，大声说：

bèn bèn zhū wǒ xǐ huan nǐ
“笨笨猪，我喜欢你！”

xiǎo hú li yǐ xià dìng jué xīn zhè bèi zi yī dìng yào hé
小狐狸已下定决心，这辈子一定要和
bèn bèn zhū zuò zuì hǎo zuì hǎo de péng you
笨笨猪做最好最好的朋友。

dà huǒr máng zhe gěi dà huī láng hé xiǎo hú li shàng
大伙儿忙着给大灰狼和小狐狸上
wán yào hòu biàn yī qǐ zuò xià lái chī wǔ fàn chī de hái shi
完药后，便一起坐下来吃午饭。吃的还是
lù mèi mei dài lái de miàn bāo guǒ jiàng xiān nǎi hé qiǎo kè
鹿妹妹带来的面包、果酱、鲜奶和巧克
lì hú li yī jiā chī de tè bié duō tè bié xiāng yīn wèi
力。狐狸一家吃得特别多，特别香，因为
tā men cóng lái méi chī guo zhè yàng de shí wù
他们从来没吃过这样的食物。

xiǎo hú li shuō wǒ yǐ hòu yě
小狐狸说：“我以后也
bù yào chī shēng ròu le wǒ yào tiān tiān chī
不要吃生肉了，我要天天吃
miàn bāo
面包。”

xiǎo huī láng yě shuō wǒ yě
小灰狼也说：“我也
yào tiān tiān chī miàn bāo
要天天吃面包。”

hú li tài tai tàn le yī kǒu
狐狸太太叹了一口

qì　ài　tiān qì yuè lái yuè lěng le　zhè shān shang néng chī
气："唉，天气越来越冷了，这山上能吃
de dōng xi yě yuè lái yuè shǎo le　zhè ge dōng tiān zěn me guò
的东西也越来越少了，这个冬天怎么过
ya
呀？"

nǐ men bān dào wǒ men huān lè cūn zhuāng lái zhù ba
"你们搬到我们欢乐村庄来住吧！"
bèn bèn zhū shuō　zhè yàng　nǐ men jiù kě yǐ tiān tiān yǒu miàn
笨笨猪说，"这样，你们就可以天天有面
bāo chī　bù huì zài qù shāng hài xiǎo dòng wù le
包吃，不会再去伤害小动物了。"

guāi guāi xióng yě pāi zhe shǒu shuō　tài hǎo le　lù mèi
乖乖熊也拍着手说："太好了，鹿妹
mei yě qù　wǒ men tiān tiān zài yī qǐ wán
妹也去，我们天天在一起玩。"

tīng le bèn bèn zhū hé guāi guāi xióng de huà　hú li xiān
听了笨笨猪和乖乖熊的话，狐狸先
sheng de liǎn gèng jiā yīn chén le　tā yòu shēng chū yī gè yí xīn
生的脸更加阴沉了。他又生出一个疑心
lái　zhè liǎng gè xiǎo zi　yī dìng shì yào bǎ wǒ men piàn dào huān
来：这两个小子，一定是要把我们骗到欢
lè cūn zhuāng qù　rán hòu yī wǎng dǎ jìn
乐村庄去，然后一网打尽。

tā duì dà huī láng shuō　nǐ wǒ míng shēng bù hǎo　dào
他对大灰狼说："你我名声不好，到
le nà lǐ　yī rén tǔ wǒ men yī kǒu tuò mo　néng bǎ wǒ men
了那里，一人吐我们一口唾沫，能把我们

yān sǐ yī rén zhì yī
淹死；一人掷一
kē shí zǐr néng bǎ
颗石子儿，能把
wǒ men yā sǐ
我们压死。”

bù huì de
“不会的，
bù huì de xiǎo hú li chòng zhe hú li xiān sheng dà chǎo dà
不会的！”小狐狸冲着狐狸先生大吵大
rǎng huān lè cūn zhuāng de cūn mín hé bèn bèn zhū guāi guāi xióng
嚷，“欢乐村庄的村民和笨笨猪乖乖熊
yī yàng hǎo tā men bù huì shāng hài wǒ men de
一样好，他们不会伤害我们的。”

hú li xiān sheng shēng qì de yī pāi zhuō zi nǐ hái
狐狸先生生气地一拍桌子：“你还
shì bù shì wǒ de ér zi nǐ wàng le wǒ yǐ qián shì zěn yàng
是不是我的儿子？你忘了我以前是怎样
jiào dǎo nǐ de
教导你的？”

xiǎo hú li bù pà tā nǐ shì gè huài bà ba nǐ
小狐狸不怕他：“你是个坏爸爸，你
xiǎng bǎ wǒ yě jiāo huài nǐ shuō shì jiè shang méi yǒu yī gè hǎo
想把我也教坏。你说世界上没有一个好
dōng xi bèn bèn zhū tā men jīn tiān què jiù le wǒ nǐ néng shuō
东西，笨笨猪他们今天却救了我，你能说
tā men yě bù shì hǎo dōng xi ma
他们也不是好东西吗？”

zhè zhè
“这……这……”

hú li xiān sheng lǐ qū cí qióng
狐狸先生理屈词穷。

hú li tài tai chèn jī zài tā ěr biān qīng shēng shuō
狐狸太太趁机在他耳边轻声说：

wèi le hái zi wǒ men hái shi bān qù zhù ba
“为了孩子，我们还是搬去住吧！”

dà huī láng yě shuō hú li lǎo dì wǒ kàn wǒ men xiān
大灰狼也说：“狐狸老弟，我看我们先

bān qù zhù jǐ tiān rú guǒ bù hǎo wǒ men bá tuǐ jiù zǒu
搬去住几天，如果不好，我们拔腿就走。”

hú li xiān sheng qiào zhe wěi ba zài dòng li lái huí de
狐狸先生翘着尾巴，在洞里来回地

duó zhe fāng bù tā hái zài yóu yù
踱着方步，他还在犹豫。

hú li xiān sheng zhù jìn le huān lè cūn zhuāng
狐狸先生住进了欢乐村庄

huān lè cūn zhuāng yǐ tā chún pǔ shàn liáng rè qíng hào kè de cūn mín men ér yuǎn jìn wén míng
欢乐村庄以它纯朴善良、热情好客的村民们而远近闻名。

lù mèi mei yī jiā dà huī láng yī jiā hái yǒu hú li yī jiā yào bān dào huān lè cūn zhuāng lái jū zhù de xiāo xi xiàng zhǎng le chì bǎng yī yè zhī jiān chuán biàn le zhěng gè cūn zhuāng
鹿妹妹一家、大灰狼一家，还有狐狸一家要搬到欢乐村庄来居住的消息像长了翅膀，一夜之间，传遍了整个村庄。

huān lè cūn zhuāng fèi téng qǐ lái cūn mín men yī zǎo jiù jù dào cūn kǒu huān yíng kè rén men de dào lái
欢乐村庄沸腾起来。村民们一早就聚到村口，欢迎客人们的到来。

pàn a pàn a kè rén men zhōng yú lái le
盼啊，盼啊，客人们终于来了！

lù mèi mei hé xiǎo huī láng xiǎo hú li yǐ chéng le hǎo péng you tā men shǒu lā zhe shǒu huān tiān xǐ dì de zài qián miàn pǎo
鹿妹妹和小灰狼、小狐狸已成了好朋友，他们手拉着手，欢天喜地地在前面跑。

hòu miàn shì lù mā ma tā de yàng zi bìng bù xiàng lù mèi mei nà me gāo xìng yīn wèi tā hèn dà huī láng hé hú li tā de xǔ duō qīn péng hǎo yǒu bù shì bèi dà huī láng shāng hài guo jiù shì bèi hú li suàn jì guo tā bù yuàn yì gēn tā men yī qǐ lái huān lè cūn zhuāng jū zhù yào bù shì lù mèi mei kǔ kǔ āi qiú yào bù shì tā nà me xǐ huan bèn bèn zhū hé guāi guāi xióng tā shì sǐ yě bù kěn lái de
后面是鹿妈妈，她的样子并不像鹿妹妹那么高兴。因为她恨大灰狼和狐狸，她的许多亲朋好友，不是被大灰狼伤害过，就是被狐狸算计过，她不愿意跟他们一起来欢乐村庄居住。要不是鹿妹妹苦苦哀求，要不是她那么喜欢笨笨猪和乖乖熊，她是死也不肯来的。

zài hòu miàn shì dà huī láng suī rán tā yǐ yàn juàn guò qù nà zhǒng ruò ròu qiáng shí de rì zi xī wàng dào huān lè cūn zhuāng lái kāi shǐ tā xīn de shēng huó dàn shì tā de jiǎo bù yě
再后面是大灰狼，虽然他已厌倦过去那种弱肉强食的日子，希望到欢乐村庄来开始他新的生活，但是他的脚步也

bìng bù xiàng xiǎo huī láng nà yàng qīng kuài yīn wèi tā xīn li gǎn
并不像小灰狼那样轻快，因为他心里感
dào hài pà bì jìng guò qù zuò le xǔ duō kuī xīn shì tā bù
到害怕，毕竟过去做了许多亏心事，他不
zhī dào huān lè cūn zhuāng de cūn mín men huì zěn yàng duì dài tā
知道欢乐村庄的村民们会怎样对待他。

zǒu zài zuì hòu de shì hú li xiān sheng hé tā de tài
走在最后的是狐狸先生和他的太
tai
太。

hú li tài tai yī lù shang xiǎng le xǔ duō xǔ duō tā
狐狸太太一路上想了许多许多，她
tài xū yào gǎi biàn tā de shēng huó le hú li xiān sheng xìng gé
太需要改变她的生活了。狐狸先生性格
duō yí yī tiān dào wǎn dōu máng zhe gǎo yīn móu guǐ jì gēn tā
多疑，一天到晚都忙着搞阴谋诡计，跟他
zài yī qǐ shēng huó hú li tài tai cóng lái bù zhī dào shén me
在一起生活，狐狸太太从来不知道什么
shì qīng sōng yú kuài ér qiě hú li tài tai ài hái zi shì
是“轻松愉快”。而且，狐狸太太爱孩子是
chū le míng de tā yǐ jīng kàn chū lái le ràng xiǎo hú li tóng
出了名的。她已经看出来了，让小狐狸同
bèn bèn zhū guāi guāi xióng lù mèi mei zhè xiē hái zi zài yī qǐ
笨笨猪、乖乖熊、鹿妹妹这些孩子在一起
shēng huó yī qǐ chéng zhǎng tā de jiāng lái huì bǐ tā de bà
生活，一起成长，他的将来会比他的爸
ba mā ma gèng xìng fú gèng kuài lè xiǎng dào zhè lǐ hú li
爸妈妈更幸福、更快乐。想到这里，狐狸

tài tai de liǎn shang hái lù chū le xīn wèi de xiào róng
太太的脸上还露出了欣慰的笑容。

hú li xiān sheng què yī zhí bǎn zhe tā de sān jiǎo liǎn
狐狸先生却一直板着他的三角脸，
tā hái méi yǒu bǎ nà ge wèn tí xiǎng tòu bèn bèn zhū hé guāi
他还没有把那个问题想透：笨笨猪和乖
guāi xióng wèi shén me yào qǐng tā men dào huān lè cūn zhuāng lái
乖熊为什么要请他们到欢乐村庄来？
zhè dào dǐ shì yī gè shén me yàng de yīn móu bù guǎn zěn yàng
这到底是一个什么样的阴谋？不管怎样，
tā dōu děi chù chù duō zhǎng jǐ gè xīn yǎnr
他都得处处多长几个心眼儿。

hái méi dào huān lè cūn zhuāng rè qíng hào kè de cūn mín
还没到欢乐村庄，热情好客的村民
men biàn yī yōng ér shàng xiàng jiàn dào jiǔ bié de qīn rén yī yàng
们便一拥而上，像见到久别的亲人一样
yòu shì qīn wěn yòu shì yōng
又是亲吻，又是拥
bào hái zi men ne zǎo yǐ
抱。孩子们呢？早已
bào chéng yī tuán zài cǎo dì
抱成一团，在草地
shang dǎ qǐ gǔn lái
上打起滚来。

yī zhèn qīn rè guò hòu
一阵亲热过后，
jiù yào shuō wèi kè rén men gài
就要说为客人们盖

fáng zi de shì le huān lè cūn zhuāng de fáng zi gè jù tè
房子的事了。欢乐村庄的房子各具特
sè zhè dōu shì àn zhào cūn mín zì jǐ xǐ huan de yàng shì hé
色，这都是按照村民自己喜欢的样式和
yán sè ér shè jì jiàn zào de
颜色而设计建造的。

lǎo shān yáng yé ye shì huān lè cūn zhuāng de jiàn zhù shī
老山羊爷爷是欢乐村庄的建筑师，
zhè lǐ suǒ yǒu de fáng zi dōu shì tā shè jì jiàn zào de xiàn
这里所有的房子都是他设计建造的。现
zài tā dài zhe yī fù lǎo huā yǎn jìng yī shǒu ná zhe bǐ yī
在，他戴着一副老花眼镜，一手拿着笔，一
shǒu ná zhe běn zi zhèng zài wèn lù mā ma nǐ xǐ huan shén
手拿着本子，正在问鹿妈妈：“你喜欢什
me yán sè shén me xíng zhuàng de fáng zi
么颜色、什么形状的房子？”

bù děng lù mā ma kāi kǒu lù mèi mei qiǎng zhe huí dá
不等鹿妈妈开口，鹿妹妹抢着回答：
wǒ xǐ huan cǎi hóng yī yàng de fáng zi
“我喜欢彩虹一样的房子。”

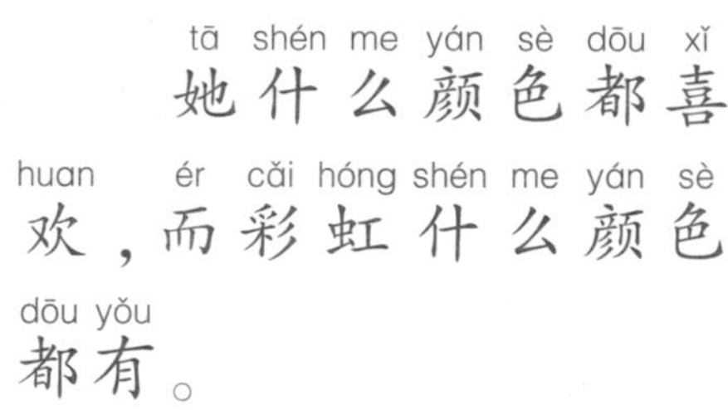

tā shén me yán sè dōu xǐ
她什么颜色都喜
huan ér cǎi hóng shén me yán sè
欢，而彩虹什么颜色
dōu yǒu
都有。

lǎo shān yáng yé ye yī biān
老山羊爷爷一边

zài zhǐ shang jì zhe yī biān diǎn tóu hǎo de jiù gěi nǐ
在纸上记着，一边点头：“好的，就给你
jiàn yī zuò cǎi hóng yī yàng de fáng zi
建一座彩虹一样的房子。”

dà huī láng jiā de fáng zi ne àn zhào xiǎo huī láng de
大灰狼家的房子呢，按照小灰狼的
yì si shì yào yī zuò lǜ sè de hú lu xíng de fáng zi zhè
意思，是要一座绿色的葫芦形的房子。这
yàng kě yǐ jiàn chéng shàng xià liǎng céng tā zhù shàng miàn xiǎo de
样可以建成上下两层，他住上面小的
fáng jiān bà ba zhù xià miàn dà de fáng jiān xiǎo huī láng cái bù
房间，爸爸住下面大的房间。小灰狼才不
yuàn hé tā bà ba zhù zài yī jiān fáng zi li ne yīn wèi bà ba
愿和他爸爸住在一间房子里呢！因为爸爸
wǎn shang shuì jiào dǎ hū lu
晚上睡觉打呼噜。

jì rán qián liǎng jiā dōu shì xiǎo hái zi shuō le suàn xiǎo
既然前两家都是小孩子说了算，小
hú li yě zǎo xiǎng hǎo le tā yě yào yī zuò hú lu xíng de fáng
狐狸也早想好了，他也要一座葫芦形的房
zi tā yě bù yuàn hé tā bà ba zhù zài tóng yī jiān fáng zi
子，他也不愿和他爸爸住在同一间房子

里，因为他老阴沉着一张脸，多扫兴啊！无论有多高兴的事，见了他也高兴不起来。

“不行，我们家得听我的。”狐狸先生说话了，他仍板着一张脸，“我要一座金碧辉煌的宫殿。”

一听狐狸先生开口要一座豪华的房子，老山羊鼻子上的眼镜滑了下来，不过他很快又把它扶了上去：“好，就给你建一座金碧辉煌的宫殿。”

狐狸先生本来是想刁难刁难老山羊，没想到他竟一口答应下来，这肯定又是一个阴谋，得小心提防。他眼珠一转：“这座宫殿不能安窗子，只开一道能容

wǒ men shēn zi jìn chū de xiǎo mén mén shang zài kāi yī gè bǐ
我们身子进出的小门，门上再开一个比
zhēn yǎn dà yī diǎnr de dòng
针眼大一点儿的洞。”

zhè xià bǎ lǎo shān yáng nào hú tu le tā tíng xià shǒu
这下把老山羊闹糊涂了，他停下手
zhōng de bǐ wèn dào bù yào chuāng zi yáng guāng zěn me
中的笔，问道：“不要窗子，阳光怎么
néng zhào jìn wū li
能照进屋里？”

wǒ men bù xū yào yáng guāng
“我们不需要阳光。”

mén kāi de nà yàng xiǎo shēn tǐ bǐ nǐ men dà de kè
“门开得那样小，身体比你们大的客

rén zěn me jìn de lái
人怎么进得来？”

wǒ men bù xū yào kè rén
“我们不需要客人。”

duì bu qǐ wǒ hái xiǎng wèn wèn mén shang de dòng wèi shén me kāi zhè me xiǎo
“对不起，我还想问问，门上的洞为什么开这么小？”

hú li xiān sheng bèi wèn de bù nài fán le wǒ yǒu bì yào gào su nǐ ma bù guò nǐ shí zài xiǎng zhī dào wǒ jiù gào su nǐ ba zhè ge xiǎo dòng de hǎo chu shì lǐ miàn néng kàn jiàn wài miàn ér wài miàn bù néng kàn jiàn lǐ miàn
狐狸先生被问得不耐烦了：“我有必要告诉你吗？不过，你实在想知道，我就告诉你吧：这个小洞的好处是里面能看见外面，而外面不能看见里面。”

ò lǎo shān yáng míng bai le hú li xiān sheng yī qiè dōu àn nǐ de yì si bàn
哦，老山羊明白了：“狐狸先生，一切都按你的意思办。”

jiàn shén me yàng de fáng zi tǎo lùn wán le yòu tǎo lùn zhè xiē fáng zi jiàn zài shén me dì fang lù jiā gēn xióng jiā zuò le lín jū láng jiā gēn zhū jiā zuò le lín jū hú li xiān sheng gēn shéi yě bù yuàn zuò lín jū tā yāo qiú bǎ gōng diàn jiàn zài
建什么样的房子讨论完了，又讨论这些房子建在什么地方。鹿家跟熊家做了邻居，狼家跟猪家做了邻居。狐狸先生跟谁也不愿做邻居，他要求把宫殿建在

huān lè cūn zhuāng zuì pì jìng de dì fang
欢乐村庄最僻静的地方。

huān lè cūn zhuāng de cūn mín men qí xīn xié lì hěn kuài
欢乐村庄的村民们齐心协力，很快

de jiàn hǎo le lù jiā de cǎi hóng fáng yòu jiàn hǎo le láng jiā de
地建好了鹿家的彩虹房，又建好了狼家的

hú lu fáng hú li xiān sheng de jīn bì huī huáng de gōng diàn yě
葫芦房。狐狸先生的金碧辉煌的宫殿也

jiàn hǎo le zhè zuò gōng diàn níng jù le quán tǐ cūn mín de zuì
建好了。这座宫殿凝聚了全体村民的最

gāo zhì huì hé zuì xīn qín de láo dòng dāng hú li xiān sheng bān
高智慧和最辛勤的劳动。当狐狸先生搬

jìn tā de gōng diàn shí tā bù dé bù cóng xīn li chéng rèn huān
进他的宫殿时，他不得不从心里承认欢

lè cūn zhuāng shì yī gè zhēn chéng rè qíng de cūn zhuāng
乐村庄是一个真诚热情的村庄。

suī rán hú li xiān sheng de xìng gé shì nà me gū pì
虽然狐狸先生的性格是那么孤僻、

duō yí hé bù kě jiē jìn rán ér huān lè cūn zhuāng de cūn mín
多疑和不可接近，然而欢乐村庄的村民

men què zǒng shì nà me kuān róng nà me hòu dao tā men xiàng
们却总是那么宽容，那么厚道，他们像

guān xīn lù jiā hé láng jiā yī yàng guān xīn zhe hú li yī jiā
关心鹿家和狼家一样，关心着狐狸一家。

qiáo lǘ dà bó dài zhe xiǎo luó zi gěi hú li yī jiā sòng
瞧，驴大伯带着小骡子给狐狸一家送

miàn fěn lái le qiāo mén mén bù kāi lǘ dà bó cóng zhēn yǎn
面粉来了。敲门，门不开。驴大伯从针眼
dà de mén dòng wǎng lǐ qiáo lǐ miàn hēi hū hū de shén me
大的门洞往里瞧，里面黑糊糊的，什么
yě kàn bù jiàn
也看不见。

shì tā men dōu bù zài jiā ma
是他们都不在家吗？

bù
不。

zhè shí hú li xiān sheng zhèng cóng zhēn yǎn dà de mén
这时，狐狸先生正从针眼大的门
dòng li wǎng wài qiáo tā yào kàn míng bai le shéi lái le lái
洞里往外瞧，他要看明白了：“谁来了？来
gàn shén me dào dǐ ān de shén me xīn cái huì kāi mén
干什么？到底安的什么心？”才会开门。

tā kàn qīng chu shì lǘ
他看清楚是驴
dà bó lái le lái gěi tā men
大伯来了，来给他们
sòng miàn fěn kě tā jiū jìng ān
送面粉。可他究竟安
de shén me xīn ne hú li xiān sheng xiàng dú
的什么心呢？狐狸先生像读
yī piān shēn ào de wén zhāng yī yàng dú zhe
一篇深奥的文章一样读着
lǘ dà bó de liǎn chú le yī liǎn de tǎn
驴大伯的脸。除了一脸的坦

诚，他别的什么也没有读到。

驴大伯刚走，熊妈妈又端着刚烤好的甜饼来了。熊妈妈弯着身子拍门："狐狸太太，我给你们送甜饼来了！"

狐狸太太要去开门，狐狸先生却拦住了她，又在针眼大的门洞里往外瞧了许久，才把门打开。

狐狸太太接过熊妈妈手中的甜饼连声说："谢谢您，进屋去坐坐吧！"

熊妈妈正想与狐狸太太拉拉家常，可她刚走到门前，又停住了脚步：那门又矮又窄，怎么进得去呢？

为了不使狐狸太太难为情，熊妈妈装出像突然想起了什么事的样子：

ò wǒ hái yǒu diǎn shì gǎi tiān zài jìn qù ba
“哦，我还有点事，改天再进去吧！”

tā gāng zǒu le jǐ bù yòu huí guò tóu lái shuō nà
她刚走了几步，又回过头来说：“那
tián bǐng shì wǒ gāng kǎo chū lái de nǐ men kuài chèn rè chī ba
甜饼是我刚烤出来的，你们快趁热吃吧！”

zhè zhēn jiào hú li tài tai wú dì zì róng tā zhǐ zhe hú
这真叫狐狸太太无地自容。她指着狐
li xiān sheng de bí zi shuō nǐ hǎo hāor xiǎng yī xiǎng tā
狸先生的鼻子说：“你好好儿想一想，他
men shì zěn yàng duì dài wǒ men de nǐ yòu shì zěn yàng duì dài
们是怎样对待我们的？你又是怎样对待
tā men de rú guǒ zài zhè yàng xià qù wǒ huì lí kāi nǐ de
他们的？如果再这样下去，我会离开你的，
wǒ kě bù yuàn yì shī qù zhè me hǎo de péng you
我可不愿意失去这么好的朋友。”

zhè shì hú li tài tai dì yī cì fǎn kàng hú li xiān
这是狐狸太太第一次反抗狐狸先
sheng hú li xiān sheng yě dì yī cì gǎn dào nèi jiù
生，狐狸先生也第一次感到内疚。

mā ma mā ma lái kè rén le
“妈妈，妈妈，来客人了！”

xiǎo hú li huān huān xǐ xǐ de pǎo le huí lái hòu miàn
小狐狸欢欢喜喜地跑了回来，后面
gēn zhe bèn bèn zhū hé guāi guāi xióng
跟着笨笨猪和乖乖熊。

bèn bèn zhū hé guāi guāi xióng tiān tiān dōu qǐng wǒ dào tā men
“笨笨猪和乖乖熊天天都请我到他们

jiā qù wán jīn tiān wǒ yě yào qǐng tā liǎ dào wǒ jiā lái wán
家去玩，今天我也要请他俩到我家来玩。”

xiǎo hú li jìn le mén bù jiàn bèn bèn zhū hé guāi guāi
小狐狸进了门，不见笨笨猪和乖乖
xióng jìn lái
熊进来。

kuài jìn lái ya
“快进来呀！”

wǒ men jìn bù qù
“我们进不去。”

xiǎo hú li míng bai le tā nán guò de kū qǐ lái dōu
小狐狸明白了，他难过得哭起来：“都
guài bà ba huài bà ba
怪爸爸，坏爸爸！”

rì zi yī tiān tiān guò qù le hú li xiān sheng yě yī
日子一天天过去了，狐狸先生也一
tiān tiān de zài fā shēng zhe biàn huà tā bǎ tā jiā de mén gǎi
天天地在发生着变化。他把他家的门改
gāo gǎi kuān le sì zhōu de qiáng shang yě ān shàng le míng liàng
高改宽了，四周的墙上也安上了明亮
de chuāng zi tā jiā li yǒu le péng you yě yǒu le yáng
的窗子。他家里有了朋友，也有了阳
guāng qí guài de shì hú li xiān sheng méi tóu shang yī zuǒ yī
光。奇怪的是，狐狸先生眉头上一左一
yòu de liǎng gè dà bāo yě jiàn jiàn de xiāo shī le
右的两个大包，也渐渐地消失了。

huān lè de xué xiào
欢乐的学校

huān lè cūn zhuāng yǒu gè huān lè xué xiào huān lè xué xiào
欢乐村庄有个欢乐学校，欢乐学校
li yǒu xǔ duō huān lè de xiǎo dòng wù yǒu yī tiān huān lè xué
里有许多欢乐的小动物。有一天，欢乐学
xiào lái le yī zhī měi lì de xiǎo hú li jǐn guǎn xiào yuán li
校来了一只美丽的小狐狸，尽管校园里
dào chù dōu chōng mǎn le huān lè kě tā què mèn mèn bù lè liǎn
到处都充满了欢乐，可她却闷闷不乐，脸
shang méi yǒu xiào róng
上没有笑容。

xiǎo hú li xiǎo hú li nǐ bù gāo xìng zài zhè lǐ
“小狐狸，小狐狸，你不高兴在这里？”
bèn bèn zhū hé guāi guāi xióng zài wèn xiǎo hú li
笨笨猪和乖乖熊在问小狐狸。

wǒ hěn gāo xìng zài zhè lǐ kě wǒ hái yǒu gè mèi mei
“我很高兴在这里，可我还有个妹妹

zài jiā li
在家里。”

wèi shén me nǐ bù dài zhe tā yī kuàir lái shàng huān
“为什么你不带着她一块儿来上欢
lè xué xiào
乐学校？”

xiǎo hú li de yǎn jing li tǎng xià le yǎn lèi wǒ mèi
小狐狸的眼睛里淌下了眼泪：“我妹
mei tā quē le yī zhī ěr duo bǒ le yī tiáo tuǐ tā pà zhè
妹她缺了一只耳朵，跛了一条腿，她怕这
lǐ de tóng xué xiào hua tā
里的同学笑话她。”

guāi guāi xióng dà shēng shuō wǒ bù huì xiào hua tā
乖乖熊大声说：“我不会笑话她！”

wǒ yě bù huì xiào hua tā bèn bèn zhū lā zhe xiǎo hú
“我也不会笑话她。”笨笨猪拉着小狐
li nǐ xiàn zài jiù dài wǒ men qù kàn kàn tā
狸，“你现在就带我们去看看她。”

xiǎo hú li zǒu zài qián bèn bèn zhū hé guāi guāi xióng gēn
小狐狸走在前，笨笨猪和乖乖熊跟
zài hòu
在后。

zǒu dào xiǎo hé biān tā men kàn jiàn yī zhī dú ěr duo xiǎo
走到小河边，他们看见一只独耳朵小
hú li zuò zài yī duī luàn shí tou shang gū dú de kàn zhe hé
狐狸，坐在一堆乱石头上，孤独地看着河
shuǐ cóng tā miàn qián jìng jìng liú guò
水从她面前静静流过。

qiáo nà jiù shì wǒ de mèi mei
“瞧，那就是我的妹妹。”

bèn bèn zhū hé guāi guāi xióng cháo hú li mèi mei zǒu guò
笨笨猪和乖乖熊朝狐狸妹妹走过
qù nǐ hǎo hú li mèi mei
去：“你好，狐狸妹妹。”

hú li mèi mei pǎo kāi le tā de shēn zi cháo yī biān
狐狸妹妹跑开了，她的身子朝一边
wāi yīn wèi tā de yī tiáo qián tuǐ duǎn le yī dà jié
歪，因为她的一条前腿短了一大截。

hú li jiě jie shuō tā zǒng jué de zì jǐ de yàng zi
狐狸姐姐说：“她总觉得自己的样子
hěn nán kàn suǒ yǐ tā pà jiàn nǐ men
很难看，所以她怕见你们。”

zěn me cái néng ràng hú li mèi mei jué
怎么才能让狐狸妹妹觉
de zì jǐ bù nán kàn ne
得自己不难看呢？

dì èr tiān bèn bèn zhū hé guāi guāi
第二天，笨笨猪和乖乖
xióng yòu lái dào xiǎo hé biān hú li mèi mei
熊又来到小河边，狐狸妹妹
hái shi zuò zài nà duī luàn shí tou shang gū
还是坐在那堆乱石头上，孤
dú de kàn zhe hé shuǐ cóng tā jiǎo xià jìng jìng
独地看着河水从她脚下静静
liú guò
流过。

hé tān shang zhǎng zhe wǔ yán liù sè de yě huār
河滩上，长着五颜六色的野花儿。
bèn bèn zhū hé guāi guāi xióng wā wā de jiào zhe cǎi de hǎo huān
笨笨猪和乖乖熊哇哇地叫着，采得好欢。

hú li mèi mei hǎo nà mèn tā tiān tiān dōu dào hé biān
狐狸妹妹好纳闷：她天天都到河边
lái zěn me jiù méi yǒu fā xiàn zhè lǐ hái yǒu zhè me hǎo kàn de
来，怎么就没有发现这里还有这么好看的
yě huār tā yě xiǎng qù cǎi kě shì tā pà tā men xiào hua
野花儿？她也想去采，可是她怕他们笑话
tā zǒu lù yī bǒ yī bǒ de yàng zi
她走路一跛一跛的样子。

hú li mèi mei de xīn si bèn bèn zhū cāi dào le guāi
狐狸妹妹的心思，笨笨猪猜到了，乖
guāi xióng yě cāi dào le
乖熊也猜到了。

hú li mèi mei nǐ xǐ huan zhè xiē huār
“狐狸妹妹，你喜欢这些花儿？”

hú li mèi mei bù shuō huà dàn tā diǎn le diǎn tóu
狐狸妹妹不说话，但她点了点头。

bèn bèn zhū gěi hú li mèi mei sòng lái yī shù huā
笨笨猪给狐狸妹妹送来一束花。

hú li mèi mei kāi kǒu shuō le huà nǐ men wèi shén me
狐狸妹妹开口说了话：“你们为什么

yào sòng wǒ huā
要送我花？”

bèn bèn zhū hé guāi guāi xióng zhēng zhe huí dá yīn wèi
笨笨猪和乖乖熊争着回答：“因为
nǐ hé zhè huār yī yàng měi lì yī yàng kě ài
你和这花儿一样美丽，一样可爱。”

nǐ men shuō wǒ měi lì shuō wǒ kě ài
“你们说我美丽？说我可爱？”

hú li mèi mei yǐ wéi zì jǐ tīng cuò le
狐狸妹妹以为自己听错了。

duì duì duì bèn bèn zhū hé guāi guāi xióng yì kǒu
“对，对，对，”笨笨猪和乖乖熊异口
tóng shēng nǐ zhēn de hěn měi lì hěn kě ài
同声，“你真的很美丽，很可爱。”

hú li mèi mei xiào le tā bǎ tóu mái zài yě huār
狐狸妹妹笑了，她把头埋在野花儿
li qiāo qiāo de xiào le
里，悄悄地笑了。

hú li mèi mei wǒ yòng zhè xiē yě huār gěi nǐ biān
“狐狸妹妹，我用这些野花儿给你编
gè huā guān hǎo ma
个花冠，好吗？”

hú li mèi mei wǒ yòng zhè xiē yě huār gěi nǐ biān
“狐狸妹妹，我用这些野花儿给你编
gè huā huán hǎo ma
个花环，好吗？”

hú li mèi mei mǐn zhe zuǐr diǎn diǎn tóu
狐狸妹妹抿着嘴儿，点点头。

bèn bèn zhū biān hǎo le huā guān gěi hú li mèi mei dài zài
笨笨猪编好了花冠，给狐狸妹妹戴在
tóu shang kàn bù chū tā quē le yī zhī ěr duo
头上，看不出她缺了一只耳朵。

guāi guāi xióng biān hǎo le huā huán gěi hú li mèi mei dài
乖乖熊编好了花环，给狐狸妹妹戴
zài bó zi shang kàn bù chū tā yǒu yī tiáo qián tuǐ duǎn le yī
在脖子上，看不出她有一条前腿短了一
jié
截。

hú li mèi mei dào xiǎo hé biān zhào yī zhào tā dì yī
狐狸妹妹到小河边照一照：她第一
cì fa xiàn zì jǐ bìng bù
次发现自己并不
nán kàn
难看。

hú li mèi mei hé nǐ jiě jie yī kuàir lái shàng wǒ
“狐狸妹妹，和你姐姐一块儿来上我
men huān lè xué xiào ba guāi guāi xióng shuō huān lè xué xiào
们欢乐学校吧！”乖乖熊说，“欢乐学校
yǒu xǔ duō xiǎo dòng wù tā men huì xiàng wǒ hé bèn bèn zhū yī
有许多小动物，他们会像我和笨笨猪一
yàng xǐ huan nǐ
样喜欢你。”

nǐ míng tiān jiù lái ba bèn bèn zhū gèng xīn jí
“你明天就来吧！”笨笨猪更心急，
wǒ men yào wèi nǐ kāi yī gè huān yíng huì
“我们要为你开一个欢迎会。”

hú li mèi mei diǎn diǎn tóu zhōng yú tóng yì shàng huān lè
狐狸妹妹点点头，终于同意上欢乐
xué xiào le
学校了。

bèn bèn zhū hé guāi guāi xióng yī xiǔ méi shuì tā men jiǎn
笨笨猪和乖乖熊一宿没睡，他们剪
le jǐ dà luó kuāng cǎi sè zhǐ tiáo yī dà zǎo jiù qù huān lè
了几大箩筐彩色纸条，一大早就去欢乐
xué xiào bǎ huā huā lǜ lǜ de cǎi tiáo guà zài shù shang jiào shì
学校，把花花绿绿的彩条挂在树上、教室
de chuāng hu shang
的窗户上。

xiǎo dòng wù men lái le kàn bèn bèn zhū hé guāi guāi xióng
小动物们来了，看笨笨猪和乖乖熊
bǎ xiào yuán zhuāng bàn de xiàng guò jié yī yàng xǐ qì yáng yáng
把校园装扮得像过节一样喜气洋洋，

gǒu wāng wāng huàn xià le guāi guāi xióng jì xù bào zhe hú
狗汪汪换下了乖乖熊，继续抱着狐
li mèi mei zhuàn quānr
狸妹妹转圈儿。

dòng wù men shǐ jìn de huān hū tiào de hǎo tiào de
动物们使劲地欢呼：“跳得好！跳得
hǎo
好！”

huān lè xué xiào suǒ yǒu de dòng wù dōu bào zhe hú li
欢乐学校所有的动物，都抱着狐狸
mèi mei tiào le hú bù wǔ zài měi lì de xuán zhuǎn zhōng
妹妹跳了“狐步舞”。在美丽的旋转中，
hú li mèi mei cóng cǐ bù zài gū dú bù zài zì bēi tā duì
狐狸妹妹从此不再孤独，不再自卑，她对
zì jǐ chōng mǎn le xìn xīn
自己充满了信心。

bèn bèn zhū qǔ xīn niáng
笨笨猪娶新娘

bèn bèn zhū dài zhe zhū gū niang huí huān lè cūn zhuāng bèn
笨笨猪带着猪姑娘回欢乐村庄，笨
bèn zhū zǒu zài qián zhū gū niang gēn zài hòu bèn bèn zhū zǒu jǐ
笨猪走在前，猪姑娘跟在后。笨笨猪走几
bù yòu huí tóu kàn kàn zhū gū niang yuè kàn xīn li yuè xǐ
步，又回头看看猪姑娘，越看心里越喜
huan
欢。

nǐ kuài zǒu wa gàn má lǎo huí tóu
“你快走哇，干吗老回头？”

zhū gū niang jiāo chēn de yòng hóng tóu jīn bǎ liǎn zhē qǐ
猪姑娘娇嗔地用红头巾把脸遮起
lái
来。

hēi hēi bèn bèn zhū shǎ xiào zhe nǐ zhī dào le wǒ
“嘿嘿，”笨笨猪傻笑着，“你知道了我

de míng zi wǒ hái bù zhī dào nǐ de míng zi ne
的名字，我还不知道你的名字呢！”

wǒ jiào qiǎo qiǎo zhū
“我叫巧巧猪。”

hǎo hǎo bèn bèn zhū lián shēng jiào hǎo nǐ jiào qiǎo
“好！好！”笨笨猪连声叫好，“你叫巧
qiǎo wǒ jiào bèn bèn nǐ qiǎo wǒ bèn tiān shēng yī duì
巧，我叫笨笨，你巧我笨，天生一对。”

qiǎo qiǎo zhū tuī kāi tā shéi gēn nǐ shì tiān shēng de yī
巧巧猪推开他：“谁跟你是天生的一
duì nǐ kàn pō shang de nà liàng chē zěn me la
对？你看坡上的那辆车怎么啦？”

bèn bèn zhū cháo qiǎo qiǎo zhū zhǐ de fāng xiàng yī kàn zhǐ
笨笨猪朝巧巧猪指的方向一看，只
jiàn yī gè shàng pō lù shang yī liàng zhuāng mǎn liáng shi de chē
见一个上坡路上，一辆装满粮食的车
yī huìr shàng yī huìr xià jiù shì shàng bù liǎo pō
一会儿上，一会儿下，就是上不了坡。

wǒ qù kàn kàn bèn bèn zhū cháo nà liàng chē pǎo qù
“我去看看！”笨笨猪朝那辆车跑去。

bèn bèn zhū lái le
“笨笨猪来了！”

bèn bèn zhū bāng wǒ men tuī yī bǎ
“笨笨猪帮我们推一把！”

lā chē de shì qī qī sì shí jiǔ zhī lǎo shǔ zì cóng lǎo
拉车的是七七四十九只老鼠，自从老
shǔ men kěn le māo mī mī xiǎo jiě de shū huàn le nǎo zi hòu
鼠们啃了猫咪咪小姐的书，换了脑子后，

biàn dào huān lè cūn zhuāng lái ān jiā luò hù kāi huāng zhòng dì
便到欢乐村庄来安家落户，开荒种地。
zhè bù zhòng de liáng shi fēng shōu le chú le liú xià zú gòu de
这不，种的粮食丰收了，除了留下足够的
kǒu liáng wài hái yǒu shèng yú de liáng shi lā dào jí shì shang qù
口粮外，还有剩余的粮食拉到集市上去
mài chē shang de liáng shi tài duō le yù dào zhè duàn shàng pō
卖。车上的粮食太多了，遇到这段上坡
lù yú shì qī qī sì shí jiǔ zhī lǎo shǔ yī qǐ lā kě zěn
路，于是七七四十九只老鼠一起拉，可怎
me yě lā bù shàng qù
么也拉不上去。

zhǔn bèi hǎo bèn bèn zhū bǎi kāi tuī chē de jià
“准备好——”笨笨猪摆开推车的架
shi wǒ yào kāi shǐ tuī la
势，“我要开始推啦！”

bèn bèn zhū shǐ chū quán shēn lì qi bǎ chē tuī shàng le
笨笨猪使出全身力气，把车推上了
pō
坡。

shàng pō le shàng pō le
“上坡了！上坡了！”

lǎo shǔ men huān hū qǐ lái
老鼠们欢呼起来。

bèn bèn zhū de lì qi zhēn dà
“笨笨猪的力气真大！”

tīng dào lǎo shǔ men zàn měi de huà bèn bèn zhū hún shēn lái
听到老鼠们赞美的话，笨笨猪浑身来

jìn tuī de gèng huān le
劲，推得更欢了。

xià pō le bié tuī la
“下坡了，别推啦！”

lǎo shǔ men jīng hū qǐ lái
老鼠们惊呼起来。

bèn bèn zhū méi tīng jiàn tā zhǐ gù zì gěr gěi zì
笨笨猪没听见，他只顾自个儿给自

gěr hǎn hào zi
个儿喊号子：

yī èr jiā yóu
“一二，加油！”

yī èr jiā yóu
“一二，加油！”

lā liáng de chē fēi bēn qǐ lái bǎ qī qī sì shí jiǔ zhī
拉粮的车飞奔起来，把七七四十九只
lǎo shǔ tuō le gè sì jiǎo cháo tiān
老鼠拖了个四脚朝天。

āi yō wǒ de jiǎo wǎi le
“哎哟，我的脚崴了！”

tòng sǐ wǒ le wǒ de bó zi niǔ le
“痛死我了，我的脖子扭了。”

lǎo shǔ men kū de kū jiào de jiào rán hòu yì kǒu tóng
老鼠们哭的哭，叫的叫，然后异口同
shēng de mà qǐ bèn bèn zhū lái zhè ge bèn bèn zhū yī shēn
声地骂起笨笨猪来：“这个笨笨猪，一身
bèn lì qi
笨力气！”

bèn bèn zhū zì zhī chuǎng le huò hǎo
笨笨猪自知闯了祸，好
róng yì cái shǐ fēi bēn de chē tíng le xià lái
容易才使飞奔的车停了下来。

qī qī sì shí jiǔ zhī lǎo shǔ
七七四十九只老鼠
dāng rán bù néng zài lā chē le bèn
当然不能再拉车了，笨
bèn zhū ràng tā men shàng chē wǒ
笨猪让他们上车：“我
bǎ nǐ men lā dào jí shì shang qù
把你们拉到集市上去。”

bèn bèn zhū nǐ zhēn hǎo
“笨笨猪，你真好！”

lǎo shǔ men quán wàng le shāng tòng huān huān xǐ xǐ de
老鼠们全忘了伤痛，欢欢喜喜地
shàng le chē bèn bèn zhū yī kǒu qì méi xiē jiù bǎ chē lā dào
上了车，笨笨猪一口气没歇，就把车拉到
le jí shì shang
了集市上。

yā wǒ de xīn niáng ne
“呀，我的新娘呢？”

bèn bèn zhū zhè cái xiǎng qǐ tā de xīn niáng qiǎo
笨笨猪这才想起他的新娘巧
qiǎo zhū
巧猪。

nǐ shuō shén me lǎo shǔ men de ěr duo
“你说什么？”老鼠们的耳朵
quán lì qǐ lái le nǐ yǒu xīn niáng
全立起来了，“你有新娘？”

nǐ men yǐ wéi wǒ chuī niú ma tā jiào qiǎo qiǎo zhū
“你们以为我吹牛吗？她叫巧巧猪。”

tā zài nǎ lǐ wǒ men zěn me méi jiàn guo
“她在哪里？我们怎么没见过？”

tā xiàn zài zài lù shang bèn bèn zhū sā tuǐ jiù wǎng
“她现在在路上。”笨笨猪撒腿就往
huí pǎo wǒ zhè jiù qù zhǎo tā
回跑，“我这就去找她。”

zài nà duàn shàng pō lù shang bèn bèn zhū zhǎo dào le
在那段上坡路上，笨笨猪找到了
qiǎo qiǎo zhū tā zhèng zuò zài lù biān shang shēng qì ne
巧巧猪，她正坐在路边上生气呢。

duì bu qǐ ràng nǐ jiǔ děng le
“对不起，让你久等了。”

qiǎo qiǎo zhū yī niǔ shēn zi yòng bèi duì zhe tā
巧巧猪一扭身子，用背对着他。

nǐ shēng qì le bèn bèn zhū péi zhe xiào běn lái
“你生气了？”笨笨猪赔着笑，“本来
hěn kuài jiù néng huí lái de kě dōu guài wǒ de jìnr tài dà
很快就能回来的，可都怪我的劲儿太大
le
了……”

bèn bèn zhū bǎ gāng cái xiān bāng lǎo shǔ men tuī chē hòu
笨笨猪把刚才先帮老鼠们推车，后
lái yòu bāng tā men lā chē de shì yuán yuán běn běn de gào su le
来又帮他们拉车的事原原本本地告诉了
qiǎo qiǎo zhū qiǎo qiǎo zhū xiào de chuǎn bù guò qì lái tā xiàn zài
巧巧猪。巧巧猪笑得喘不过气来。她现在
yǐ jīng bù shēng qì le xīn li shèn zhì yǒu yī diǎn gāo xìng tā
已经不生气了，心里甚至有一点高兴。她
fā xiàn tā de xīn láng suī rán bù xiàng tā xiǎng xiàng zhōng de nà
发现她的新郎虽然不像她想象中的那
me yīng jùn dàn shì tā xīn yǎnr hǎo tā yǐ jīng yǒu diǎnr
么英俊，但是他心眼儿好，她已经有点儿
xǐ huan tā le
喜欢他了。

qiǎo qiǎo zhū zhàn qǐ shēn lái zǒu ba wǒ men huí jiā
巧巧猪站起身来：“走吧，我们回家
qù
去。”

jiàn qiǎo qiǎo zhū bù shēng qì le bèn bèn zhū gāo xìng de
见巧巧猪不生气了，笨笨猪高兴得
chàng qǐ gē lái
唱起歌来：

lè lè lè lè lè lè
乐乐乐，乐乐乐，
dài zhe xīn niáng huí jiā luo
带着新娘回家啰。
bù dǎ gǔ bù qiāo luó
不打鼓，不敲锣，
qīn qīn ài ài nǐ hé wǒ
亲亲爱爱你和我。

jī jī jī shì bèn bèn zhū zài chàng gē
“叽叽叽，是笨笨猪在唱歌！”
qī zhī xiǎo jī jī duo jī lái jī mī jī
七只小鸡——鸡多、鸡来、鸡咪、鸡
fā jī suō jī lā jī xī bù zhī cóng shén me dì fang zuān
发、鸡梭、鸡拉、鸡西不知从什么地方钻
chū lái
出来。

duō lái mī fā suō lā xī nǐ men zěn me huì zài zhè
“多来咪发梭拉西，你们怎么会在这
lǐ
里？”

xiǎo jī men bù lǐ bèn bèn zhū wéi zhe qiǎo qiǎo zhū jī ji
小鸡们不理笨笨猪，围着巧巧猪叽叽
zhā zhā rǎng kāi le bèn bèn zhū tā shì shéi ya
喳喳嚷开了：“笨笨猪，她是谁呀？”

wǒ zài wèn nǐ men zěn me huì dào zhè me yuǎn de dì
“我在问你们，怎么会到这么远的地
fang lái nǐ men de mā ma zhī dào ma
方来？你们的妈妈知道吗？”

mā ma bù zhī dào zuì xiǎo de nà zhī xiǎo jī jī xī
“妈妈不知道。”最小的那只小鸡鸡西
shuō wǒ men shì zhuī yī zhī huā hú dié zhuī dào zhè lǐ de
说，“我们是追一只花蝴蝶追到这里的。”

tā men de mā ma yī dìng hěn zháo jí bèn bèn zhū
“他们的妈妈一定很着急。”笨笨猪
duì qiǎo qiǎo zhū shuō wǒ men děi bǎ tā men dài huí qù
对巧巧猪说，“我们得把他们带回去。”

qiǎo qiǎo zhū diǎn diǎn tóu tā wēn hé de duì xiǎo jī men
巧巧猪点点头，她温和地对小鸡们
shuō duō lái mī fā suō lā xī wǒ men yī qǐ huí jiā ba
说：“多来咪发梭拉西，我们一起回家吧！”

nǐ zěn me zhī dào wǒ men de míng zi wǒ men bù rèn
“你怎么知道我们的名字？我们不认
shi nǐ
识你。”

kě wǒ rèn shi nǐ men qiǎo qiǎo zhū xiào le wǒ
“可我认识你们！”巧巧猪笑了，“我
shì bèn bèn zhū de xīn niáng qiǎo qiǎo zhū
是笨笨猪的新娘巧巧猪。”

zhè me shuō bèn bèn zhū dāng xīn láng le
“这么说，笨笨猪当新郎了？”

fèi huà bèn bèn zhū hǎo bù dé yì tā shì wǒ de
“废话！”笨笨猪好不得意，“她是我的
xīn niáng wǒ dāng rán shì tā de xīn láng le
新娘，我当然是她的新郎了。”

ō bèn bèn zhū dāng xīn láng la bèn bèn zhū dāng
“噢——笨笨猪当新郎啦！笨笨猪当
xīn láng la
新郎啦！”

xiǎo jī men wéi zhe bèn bèn zhū yòu jiào yòu tiào
小鸡们围着笨笨猪又叫又跳。

bié nào le bèn bèn zhū gǎn zhe xiǎo
“别闹了！”笨笨猪赶着小
jī men wǒ men huí jiā ba nǐ men de mā
鸡们，“我们回家吧，你们的妈
ma yī dìng zài dào chù zhǎo nǐ men
妈一定在到处找你们。”

wǒ men bù huí jiā
“我们不回家！”

wǒ men bù huí jiā
“我们不回家！”

xiǎo jī men sàn kāi le
小鸡们散开了。

qiǎo qiǎo zhū bāng zhe gǎn xiǎo jī men dōng gǎn xī zhuī jiù
巧巧猪帮着赶小鸡们，东赶西追，就
shì gǎn bù dào yī kuàir
是赶不到一块儿。

bèn bèn zhū lèi de mǎn tóu dà hàn qiǎo qiǎo zhū lèi de qì
笨笨猪累得满头大汗，巧巧猪累得气
chuǎn xū xū xiǎo jī men què kāi xīn de bù dé liǎo
喘吁吁，小鸡们却开心得不得了。

zěn me bàn ne qiǎo qiǎo zhū shuō wǒ men zěn me
“怎么办呢？”巧巧猪说，“我们怎么
cái néng bǎ zhè xiē táo qì de xiǎo jī yǐn huí jiā
才能把这些淘气的小鸡引回家？”

nǐ shuō yǐn huí jiā bèn bèn zhū yī xià
“你说引回家？”笨笨猪一下
zi yǒu le bàn fǎ duō lái mī fā suō lā
子有了办法，“多来咪发梭拉
xī nǐ men zuì xǐ huan chī shén me
西，你们最喜欢吃什么？”

xiǎo jī men yì kǒu tóng shēng zhī ma
小鸡们异口同声：“芝麻
lìr
粒儿。”

hǎo nǐ men jiù zài zhèr děng zhe
“好，你们就在这儿等着，
wǒ gěi nǐ men mǎi qù
我给你们买去。”

bù yī huìr bèn bèn zhū bǎ zhī ma lìr
不一会儿，笨笨猪把芝麻粒

mǎi huí lái le
儿买回来了。

bèn bèn zhū kuài bǎ zhī ma lìr gěi wǒ men chī
“笨笨猪，快把芝麻粒儿给我们吃！”

huì gěi nǐ men chī de bèn bèn zhū qiāo qiāo duì qiǎo
“会给你们吃的。”笨笨猪悄悄对巧
qiǎo zhū shuō nǐ qiáo zhe xiǎo táo qì men mǎ shàng jiù děi guāi
巧猪说，“你瞧着，小淘气们马上就得乖
guāi de gēn wǒ zǒu
乖地跟我走。”

bèn bèn zhū pǎo qǐ lái xiǎo jī men yě gēn zhe tā pǎo qǐ
笨笨猪跑起来，小鸡们也跟着他跑起
lái pái chéng yī liùr gēn de jǐn jǐn de
来，排成一溜儿，跟得紧紧的。

bèn bèn zhū yī zhí pǎo dào huān lè cūn zhuāng yī zhí pǎo
笨笨猪一直跑到欢乐村庄，一直跑
dào jī mā ma de jiā
到鸡妈妈的家。

jī mā ma wǒ bǎ duō lái mī fā suō lā xī gěi nǐ
“鸡妈妈，我把多来咪发梭拉西给你
dài huí lái le
带回来了。”

ò wǒ de xīn gānr wǒ de bǎo bèir jī
“哦，我的心肝儿，我的宝贝儿！”鸡
mā ma jīng xǐ de yíng jiē zhe xiǎo jī men nǐ men kě bǎ mā
妈妈惊喜地迎接着小鸡们，“你们可把妈
ma jí huài le
妈急坏了！”

kàn zhe jī mā ma hé tā de hái zi men jǐn jǐn de yōng
看着鸡妈妈和她的孩子们紧紧地拥
bào zài yī qǐ bèn bèn zhū qiāo qiāo de lā zhe qiǎo qiǎo zhū zǒu
抱在一起，笨笨猪悄悄地拉着巧巧猪走
le huí dào bèn bèn zhū de xī guā wū
了，回到笨笨猪的西瓜屋。

wǒ bù míng bai nà xiē táo qì de xiǎo jī zěn me huì
“我不明白，那些淘气的小鸡怎么会
tū rán jiān yòu guāi guāi de gēn nǐ zǒu le ne qiǎo qiǎo zhū wèn
突然间又乖乖地跟你走了呢？”巧巧猪问
bèn bèn zhū nán dào nǐ shēn shang yǒu shén me mó lì ma
笨笨猪，“难道你身上有什么魔力吗？”

wǒ nǎ yǒu shén me mó lì bèn bèn zhū shuō zhè
“我哪有什么魔力？”笨笨猪说，“这

shì nǐ gěi wǒ chū de hǎo zhǔ yi
是你给我出的好主意。”

wǒ shén me shí hou gěi nǐ chū guo zhǔ yi
“我什么时候给你出过主意？”

nǐ shuō zěn me cái néng yǐn tā men huí jiā jiù shì
“你说‘怎么才能引他们回家’？就是
zhè ge yǐn zì shǐ wǒ xiǎng chū le yī gè bàn fǎ wǒ shì
这个‘引’字使我想出了一个办法，我是
yī lù sǎ zhe zhī ma lìr bǎ tā men yǐn huí jiā de
一路撒着芝麻粒儿，把他们引回家的。”

qiǎo qiǎo zhū xiǎo shēng shuō qí shí nǐ yī diǎn dōu
巧巧猪小声说：“其实，你一点都
bù bèn
不笨。”

bèn bèn zhū hān hān de yī xiào hēi hēi zhǐ yǒu nǐ
笨笨猪憨憨地一笑：“嘿嘿，只有你
shuō wǒ bù bèn
说我不笨。”

qiǎo qiǎo zhū kàn zhe bèn bèn zhū yuè kàn xīn li yuè xǐ
巧巧猪看着笨笨猪，越看心里越喜
huan
欢。

bèn bèn guò lái wǒ gěi nǐ shuō yī jù huà
“笨笨，过来！我给你说一句话。”

bèn bèn zhū zǒu guò qù qiǎo qiǎo zhū zài tā ěr biān qiǎo
笨笨猪走过去，巧巧猪在他耳边悄
shēng shuō nǐ zhī dào ma wǒ xiàn zài yǐ jīng xǐ huan nǐ le
声说：“你知道吗？我现在已经喜欢你了。”

xǐ huan wǒ shén me
“喜欢我什么？”

bèn bèn zhū huān xǐ de zhí shuǎi tā de dà ěr duo
笨笨猪欢喜得直甩他的大耳朵。

nǐ suī rán zhǎng de chǒu yī diǎnr dàn shì nǐ de xīn
“你虽然长得丑一点儿，但是你的心
yǎnr hǎo nǐ suī rán bèn yī diǎnr dàn shì bèn de kě ài
眼儿好；你虽然笨一点儿，但是笨得可爱。”

jiē zhe wǎng xià shuō
“接着往下说！”

bèn bèn zhū tīng de xīn li yǎng sū sū de shū fu de bù
笨笨猪听得心里痒酥酥的，舒服得不
dé liǎo tā hái xiǎng tīng
得了，他还想听。

qiǎo qiǎo zhū què shuō méi yǒu le
巧巧猪却说：“没有了。”

jī wài pó de lǐ wù

鸡外婆的礼物

xīn niáng qiǎo qiǎo zhū huí niáng jia yǐ jīng sān tiān le jīn
新娘巧巧猪回娘家已经三天了，今
tiān bèn bèn zhū yào bǎ tā jiē huí huān lè cūn zhuāng
天，笨笨猪要把她接回欢乐村庄。

tiān hái méi liàng bèn bèn zhū jiù qǐ chuáng shāo huǒ huo
天还没亮，笨笨猪就起床烧火和
miàn zhēng le yī dà guō bái shēng shēng de dà mán tou zhǔn bèi
面，蒸了一大锅白生生的大馒头，准备
gěi tā de zhàng mu niáng qiǎo qiǎo zhū de mā ma sòng qù
给他的丈母娘——巧巧猪的妈妈送去，
zhè shì qiǎo qiǎo zhū lín zǒu shí tè bié fēn fù guo de
这是巧巧猪临走时，特别吩咐过的。

bèn bèn zhū bǎ zhēng hǎo de dà mán tou zhuāng jìn dà má
笨笨猪把蒸好的大馒头装进大麻
dài li káng zài jiān shang chū le mén yī xiǎng dào jiù yào jiàn
袋里，扛在肩上出了门。一想到就要见

dào tā xīn ài de qiǎo qiǎo zhū bèn bèn zhū xīn huā nù fàng zhí
到他心爱的巧巧猪，笨笨猪心花怒放，直
xiǎng chàng gē
想唱歌。

duō lái mī fā suō lā xī
“多！来！咪！发！梭！拉！西！”

āi wǒ men lái la
“哎，我们来啦！”

qī zhī xiǎo jī jī duō jī lái jī mī jī
七只小鸡——鸡多、鸡来、鸡咪、鸡
fā jī suō jī lā jī xī bù zhī cóng shén me dì fang zuān
发、鸡梭、鸡拉、鸡西不知从什么地方钻
chū lái le lè diān diān de cháo tā pǎo lái
出来了，乐颠颠地朝他跑来。

ō bèn bèn zhū wǔ zhù yǎn jing yī pì gu zuò zài
“噢！”笨笨猪捂住眼睛，一屁股坐在
dì shang zhè xià kě má fan le
地上，“这下可麻烦了。”

bèn bèn zhū nǐ dào nǎ lǐ qù
“笨笨猪，你到哪里去？”

wǒ qù jiē qiǎo qiǎo zhū
“我去接巧巧猪。”

ò xīn láng jiē xīn niáng luo xiǎo jī men bǐ bèn bèn
“哦，新郎接新娘啰！”小鸡们比笨笨
zhū hái gāo xìng jiē xīn niáng yào jīng guò wǒ men wài pó jiā
猪还高兴，“接新娘要经过我们外婆家
ma
吗？”

bèn bèn zhū yī tīng yǒu diǎn bù miào nǎo dai yáo de xiàng
笨笨猪一听有点不妙，脑袋摇得像
bō lang gǔ nǐ men bié chán zhù wǒ wǒ kě bù xiǎng dài nǐ
拨浪鼓："你们别缠住我，我可不想带你
men qù nǐ men de wài pó jiā
们去你们的外婆家。"

qī zhī xiǎo jī xiàng qī kē nián nián táng bāng wǒ men gěi
七只小鸡像七颗黏黏糖："帮我们给
wài pó dài diǎn lǐ wù qù zǒng kě yǐ ba
外婆带点礼物去，总可以吧？"

bèn bèn zhū xiǎng jǐn kuài tuō shēn tā xiàn xiǎo jī men zài
笨笨猪想尽快脱身，他限小鸡们在
wǔ fēn zhōng yǐ nèi bǎ lǐ wù jiāo dào tā shǒu shang
五分钟以内把礼物交到他手上。

qī zhī xiǎo jī sā tuǐ jiù pǎo bù dào wǔ fēn zhōng xián
七只小鸡撒腿就跑，不到五分钟，衔
zhe lǐ wù lái le tā men bǎ lǐ wù fàng zài bèn bèn zhū miàn
着礼物来了。他们把礼物放在笨笨猪面
qián yī tiáo qīng chóng yī kē wǔ
前：一条青虫、一颗五
cǎi de xiǎo shí tou yī duǒ lán sè de
彩的小石头、一朵蓝色的
xiǎo huār yī jié hóng sè de duàn
小花儿、一截红色的缎
dài yī zhāng tòu míng de táng zhǐ
带、一张透明的糖纸、
yī gè xiǎo xiǎo de tóng líng dang hái
一个小小的铜铃铛，还

yǒu yī piàn máo róng róng de
有一片毛茸茸的
yǔ máo bù zhī shì cóng tā men shéi shēn shang diào xià lái de
羽毛，不知是从他们谁身上掉下来的。

bèn bèn zhū hū lū lū de xiào qǐ lái zhè suàn shén me
笨笨猪呼噜噜地笑起来：“这算什么
lǐ wù a
礼物啊？”

dāng rán shì lǐ wù xiǎo jī men jī ji zhā zhā zài
“当然是礼物！”小鸡们叽叽喳喳在
bèn bèn zhū ěr biān rǎng zhe zhè xiē kě shì wǒ men zuì xǐ huan
笨笨猪耳边嚷着，“这些可是我们最喜欢
zuì xǐ huan de dōng xi a
最喜欢的东西啊！”

hǎo hǎo bèn bèn zhū bǎ xiǎo jī men de lǐ wù xiǎo
“好！好！”笨笨猪把小鸡们的礼物小
xīn de fàng jìn yī gè xiǎo hé zi li wǒ yī dìng bǎ nǐ men
心地放进一个小盒子里，“我一定把你们
de lǐ wù shāo gěi nǐ men de wài pó
的礼物，捎给你们的外婆。”

lái dào jī wài pó jiā mén kǒu bèn bèn zhū pēng pēng de
来到鸡外婆家门口，笨笨猪砰砰地
qiāo mén jī wài pó wǒ gěi nǐ sòng lǐ wù lái le
敲门：“鸡外婆，我给你送礼物来了！”

jī wài pó kāi le mén yī yǎn jiù kàn jiàn le bèn bèn zhū
鸡外婆开了门，一眼就看见了笨笨猪
káng zài jiān shang de dà má dài āi yō yō bèn bèn zhū
扛在肩上的大麻袋：“哎哟哟，笨笨猪，

nǐ lái jiù shì le hái dài zhè me duō lǐ wù gàn shá ya
你来就是了，还带这么多礼物干啥呀？”

bèn bèn zhū shǎ yǎn le bù shì shì
笨笨猪傻眼了：“不是……是……”

bù róng tā duō jiě shì jī wài pó máng bǎ tā yíng jìn mén yǐn zhe tā lái dào yī zhī dà tán zi qián jiào tā bǎ dà má dài li de dà mán tou dào jìn qù hái shuō zhè yī cì jī wài pó wǒ bǎ nǐ de lǐ wù shōu xià le xià yī cì lái kě bù xǔ zài gěi wǒ dài zhè me duō lǐ wù lái tīng jiàn méi yǒu
不容他多解释，鸡外婆忙把他迎进门，引着他来到一只大坛子前，叫他把大麻袋里的大馒头倒进去，还说：“这一次，鸡外婆我把你的礼物收下了。下一次来，可不许再给我带这么多礼物来，听见没有？”

bèn bèn zhū kū xiào bu de zhè zhè
笨笨猪哭笑不得：“这……这……”

bù yòng shuo le bù yòng shuō le nǐ dc yì si jī wài pó wǒ míng bai míng bai
“不用说了，不用说了，你的意思，鸡外婆我明白，明白！”

bèn bèn zhū zhǐ hǎo bù shuō le tā bǎ zhuāng zhe xiǎo jī men de lǐ wù de hé zi pěng dào jī wài pó de miàn qián zhè shì nín de jī wài sūn jī duō jī lái jī mī jī fā jī suō jī lā jī xī sòng gěi nín de lǐ wù
笨笨猪只好不说了。他把装着小鸡们的礼物的盒子捧到鸡外婆的面前：“这是您的鸡外孙鸡多、鸡来、鸡咪、鸡发、鸡梭、鸡拉、鸡西送给您的礼物。”

jī wài pó dǎ kāi hé zi jiāng xiǎo jī men de lǐ wù yī
鸡外婆打开盒子，将小鸡们的礼物一
yàng yī yàng de kān guo le tā gē gē de xiào gè bù tíng
样一样地看过了，她“咯咯”地笑个不停：
gào su wǒ de wài sūn men tā men sòng de lǐ wù wǒ hǎo xǐ
“告诉我的外孙们，他们送的礼物，我好喜
huan hǎo xǐ huan
欢好喜欢。”

kàn zhe jī wài pó zhè me gāo xìng bèn bèn zhū yě gāo
看着鸡外婆这么高兴，笨笨猪也高
xìng tā xiǎng yīng gāi zài shuō diǎn shén me ràng jī wài pó gèng
兴。他想应该再说点什么，让鸡外婆更
gāo xìng
高兴。

duō lái mī fā suō lā xī qī zhī xiǎo jī gè gè kě
“多来咪发梭拉西，七只小鸡，各个可
ài
爱。”

jī wài pó guǒ rán gèng gāo xìng le duō lái mī fā suō
鸡外婆果然更高兴了：“多来咪发梭
lā xī qī zhī xiǎo jī yī gè bǐ yī gè kě ài
拉西，七只小鸡，一个比一个可爱。”

jī wài pó chàn wēi wēi de zǒu dào bèn bèn zhū de gēn qián
鸡外婆颤巍巍地走到笨笨猪的跟前：
bèn bèn zhū wǒ yě yǒu lǐ wù qǐng nǐ dài gěi wǒ de wài sūn
“笨笨猪，我也有礼物请你带给我的外孙
men
们。”

jī wài pó měng de zài bèn bèn zhū de liǎn shang zhuó le yī
鸡外婆猛地在笨笨猪的脸上啄了一
xià tòng de bèn bèn zhū wā wā jiào jī wài pó nǐ zěn me
下，痛得笨笨猪哇哇叫："鸡外婆，你怎么
zhuó wǒ ya
啄我呀？"

āi yō bèn bèn zhū nǐ zhēn shi bèn nǐ nán dào yī
"哎哟，笨笨猪，你真是笨，你难道一
diǎn dōu gǎn jué bù dào zhè shì wěn ma jī wài pó kàn zhe bèn
点都感觉不到这是吻吗？"鸡外婆看着笨
bèn zhū zī yá liě zuǐ de yàng zi gǎn dào shí fēn jīng yà wǒ
笨猪龇牙咧嘴的样子，感到十分惊讶，"我
xiǎng qǐng nǐ gěi wǒ de měi yī gè wài sūn dài yī gè wěn huí
想请你给我的每一个外孙，带一个吻回
qù gāng cái nà ge wěn shì gěi jī duō de
去。刚才那个吻是给鸡多的。"

bèn bèn zhū kuài kū le zhè me shuō nǐ hái yào zhuó
笨笨猪快哭了："这么说，你还要啄
wǒ liù xià
我六下？"

bù shì zhuó liù xià shì wěn liù xià
"不是啄六下，是吻六下。"

jī wài pó yī běn zhèng jīng de shuō dào
鸡外婆一本正经地说道。

bèn bèn zhū yǎo jǐn yá bì le yǎn bǎ pàng pàng de liǎn
笨笨猪咬紧牙，闭了眼，把胖胖的脸
shēn guò qù ràng jī wài pó wěn
伸过去让鸡外婆“吻”。

jī wài pó pěng zhe bèn bèn zhū de liǎn jiē jiē shí shí de
鸡外婆捧着笨笨猪的脸，结结实实地
wěn le yī xià zhè shì gěi jī lái de
“吻”了一下：“这是给鸡来的。”

zài wěn le yī xià zhè shì gěi jī mī de
再“吻”了一下：“这是给鸡咪的。”

……

dāng jī wài pó bǎ zuì hòu yī gè wěn xiǎng dāng dāng
当鸡外婆把最后一个“吻”响当当
de gěi le jī xī shí bèn bèn zhū de liǎn yǐ xiàng shú tòu le
地给了鸡西时，笨笨猪的脸，已像熟透了
de hóng táo zi tā wǔ zhe liǎn cóng jī wài pó jiā pǎo chū lái
的红桃子。他捂着脸，从鸡外婆家跑出来。

jī wài pó zhuī dào mén kǒu bèn bèn zhū nǐ yào kuài kuài
鸡外婆追到门口：“笨笨猪，你要快快
de bǎ wǒ de wěn gěi wǒ de qī gè wài sūn dài huí qù yào
地把我的吻，给我的七个外孙带回去，要
ràng tā men zhī dào wǒ shì duō me duō me ài tā men
让他们知道，我是多么多么爱他们。”

zěn me bàn wǒ gāi zěn me bàn bèn bèn zhū jí de
“怎么办，我该怎么办？”笨笨猪急得

zài dì shang duò chū yī gè kēng lái tā bù zhī dào tā xiàn zài
在地上跺出一个坑来，他不知道他现在
yīng gāi xiān bǎ jī wài pó de wěn sòng huí qù hái shi yīng gāi
应该先把鸡外婆的“吻”送回去，还是应该
xiān qù jiē qiǎo qiǎo zhū
先去接巧巧猪。

yí shì shéi chuī zhe kǒu shào guò lái le bèn bèn zhū máng
咦，是谁吹着口哨过来了？笨笨猪忙
bèi guò shēn zi wǔ le liǎn tā kě bù xiǎng bǎ tā nà yòu hóng
背过身子，捂了脸，他可不想把他那又红
yòu zhǒng de liǎn ràng shéi qiáo le qù
又肿的脸让谁瞧了去。

nǐ hǎo bèn bèn zhū
“你好，笨笨猪！”

yuán lái shì xiǎo huī láng
原来是小灰狼。

nǐ hǎo xiǎo huī láng
“你好，小灰狼！”

bèn bèn zhū bǎ liǎn wǔ de yán yán de
笨笨猪把脸捂得严严的。

nǐ de liǎn zěn me le
“你的脸怎么了？”

méi shén me wǒ yá téng bèn bèn zhū zhī
“没什……么……我牙疼。”笨笨猪支
zhī wú wú xiǎo huī láng wǒ xiǎng qǐng nǐ bāng wǒ zuò yī jiàn
支吾吾，“小灰狼，我想请你帮我做一件
shì
事。”

yǒu shén me shì nǐ jǐn guǎn shuō xiǎo huī láng bǎ
“有什么事，你尽管说。”小灰狼把
xiōng pú pāi de pā pā xiǎng zhǐ yào wǒ xiǎo huī láng néng
胸脯拍得“啪啪”响，“只要我小灰狼能
zuò dào de wǒ yī dìng bāng nǐ
做到的，我一定帮你。”

à nǐ tài hǎo la bèn bèn zhū tiào qǐ lái bào zhe
“啊，你太好啦！”笨笨猪跳起来，抱着
xiǎo huī láng zài tā liǎn shang bā bā de wěn le qī xià
小灰狼，在他脸上“叭叭”地吻了七下，
bāng wǒ bǎ zhè qī gè wěn dài gěi duō lái mī fā suō lā xī
“帮我把这七个吻带给多来咪发梭拉西，
jiù shì nà qī zhī xiǎo jī gào su tā men zhè shì tā men de
就是那七只小鸡，告诉他们，这是他们的
wài pó sòng gěi tā men de lǐ wù
外婆送给他们的礼物。”

jiù zhè me gè shìr ya xiǎo huī láng mō mo bèi wěn
“就这么个事儿呀？”小灰狼摸摸被吻
le qī xià de liǎn kě wǒ xiàn zài hái yào gǎn qù kàn zú qiú
了七下的脸，“可我现在还要赶去看足球
bǐ sài ne
比赛呢！”

bèn bèn zhū gēn běn bù
笨笨猪根本不
tīng xiǎo huī láng shuō tā yǐ
听小灰狼说，他已
jīng pǎo yuǎn le
经跑远了。

bèn bèn zhū lái dào qiǎo qiǎo zhū de niáng jia bǎ qiǎo qiǎo
笨笨猪来到巧巧猪的娘家，把巧巧
zhū hé tā de mā ma xià le yī dà tiào
猪和她的妈妈吓了一大跳。

chū qù chū qù tā men yào bǎ tā gǎn chū qù
“出去！出去！”她们要把他赶出去，
nǎ lǐ pǎo lái de hóng tóu huā liǎn
“哪里跑来的红头花脸！”

qiǎo qiǎo wǒ shì bèn bèn ya
“巧巧，我是笨笨呀！”

qiǎo qiǎo zhū rèn chū le bèn bèn zhū nǐ dào wǒ mā ma
巧巧猪认出了笨笨猪：“你到我妈妈
jiā gàn má bǎ liǎn tú de zhè me hóng
家，干吗把脸涂得这么红？”

bù shì tú de shì jī wài pó zhuó bù duì
“不是涂的，是鸡外婆啄……不对
wěn de
……吻的……”

dào dǐ shì zěn me huí shì
“到底是怎么回事？”

qiǎo qiǎo zhū tīng tā shuō de luàn qī bā zāo de jí le
巧巧猪听他说得乱七八糟的，急了。

bèn bèn zhū yě jí le kě shì tā yuè jí yuè shuō bù
笨笨猪也急了，可是他越急，越说不
chū huà lái
出话来。

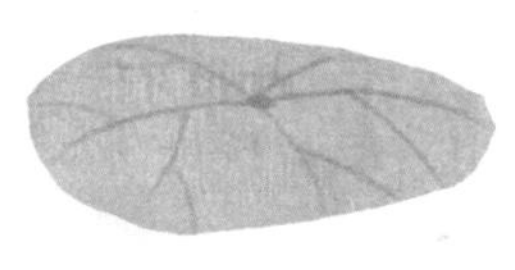

guī nǚ qiǎo qiǎo zhū de mā ma bǎ qiǎo qiǎo zhū lā dào yī biān wǒ zǎo tīng nǐ shuō guo wǒ zhè nǚ xu zhǎng de chǒu yī diǎn kě méi xiǎng dào tā zhè me nán kàn wǒ qiáo le bàn tiān yě méi qiáo jiàn tā de yǎn jing zài nǎ lǐ

“闺女！”巧巧猪的妈妈把巧巧猪拉到一边，“我早听你说过，我这女婿长得丑一点，可没想到他这么难看。我瞧了半天，也没瞧见他的眼睛在哪里。”

wǒ yǒu yǎn jing wǒ yǒu liǎng zhī yǎn jing

“我有眼睛，我有两只眼睛。”

bèn bèn zhū bǎ liǎn shēn dào zhū lǎo tài tai de miàn qián shǐ jìn de zhǎ ba zhe yǎn jing

笨笨猪把脸伸到猪老太太的面前，使劲地眨巴着眼睛。

zhū lǎo tài tai zhōng yú kàn jiàn le tā zhǒng de zhǐ shèng yī tiáo fèngr de yǎn jing ò shì yǒu liǎng zhī yǎn jing zěn me hái zhǎng le yī liǎn hóng gē da

猪老太太终于看见了他肿得只剩一条缝儿的眼睛：“哦，是有两只眼睛，怎么还长了一脸红疙瘩？”

bèn bèn zhū hǎo wěi qu rén jia zhè shì bèi jī wài pó zhuó de ma

笨笨猪好委屈：“人家这是被鸡外婆啄的嘛。”

wǒ kàn nǐ shì méi yòng a zhū lǎo tài tai shǔ luo dào zhè me dà yī tóu zhū bèi yī zhī xiǎo xiǎo de lǎo mǔ jī

“我看你是没用啊！”猪老太太数落道，“这么大一头猪，被一只小小的老母鸡

zhuó chéng zhè yàng xiū xiū xiū
啄成这样，羞！羞！羞！”

qiǎo qiǎo zhū bù rěn xīn kàn bèn bèn zhū nán kān máng bǎ
巧巧猪不忍心看笨笨猪难堪，忙把
huà chà kāi bèn bèn nǐ gěi mā ma zhēng de dà bái mán tou
话岔开：“笨笨，你给妈妈蒸的大白馒头
ne
呢？”

bèn bèn zhū bù shuō huà
笨笨猪不说话。

kuài sòng guò qù ya qiǎo qiǎo zhū zài tā ěr
“快送过去呀！”巧巧猪在他耳
biān qiǎo shēng shuō ràng mā ma gāo xìng gāo xìng
边悄声说，“让妈妈高兴高兴！”

dà bái mán tou dōu gěi le jī wài pó
“大白馒头都给了鸡外婆。”

shén me zhū lǎo tài tai qì de yī bèng lǎo
“什么？”猪老太太气得一蹦老
gāo nǐ bǎ dà bái mán tou dōu sòng gěi le lǎo mǔ jī
高，“你把大白馒头都送给了老母鸡，
tā hái bǎ nǐ zhuó chéng zhè ge yàng zi
她还把你啄成这个样子？”

bù shì zhuó de bù shì zhuó de
“不是啄的，不是啄的……”

bù shì zhuó de zhū lǎo tài tai zhǐ zhe tā de liǎn
“不是啄的？”猪老太太指着他的脸，
nǐ yī liǎn de hóng gē da nǎ lái de
“你一脸的红疙瘩哪来的？”

bèn bèn zhū zhí xiǎng kū
笨笨猪直想哭。

zhū lǎo tài tai zhēn de duì bèn bèn zhū hěn shī wàng qiǎo
猪老太太真的对笨笨猪很失望："巧

qiǎo zhū nǐ hái shuō nǐ de bèn bèn zhū bù bèn wǒ kàn tā shì
巧猪，你还说你的笨笨猪不笨，我看他是

shì jiè shang zuì bèn zuì bèn de bèn zhū
世界上最笨最笨的笨猪。"

zhū lǎo tài tai zài yě bù lǐ bèn bèn zhū hé qiǎo qiǎo zhū
猪老太太再也不理笨笨猪和巧巧猪，

tā dú zì shēng mèn qì qù le
她独自生闷气去了。

qiǎo qiǎo zhū wèn nǐ jīn tiān shì zěn me huí shì
巧巧猪问："你今天是怎么回事？"

wū bèn bèn zhū zhōng yú kū chū lái le wǒ
"呜……"笨笨猪终于哭出来了，"我

yě bù zhī dào
也不知道！"

huān lè shǐ zhě

欢乐使者

xiǎo huī láng yī xīn xiǎng kàn nà chǎng zú qiú bǐ sài bái
小灰狼一心想看那场足球比赛：白
láng duì duì hēi láng duì jīng cǎi sǐ le kě shì gāng cái yòu
狼队对黑狼队，精彩死了。可是，刚才又
dā ying le bèn bèn zhū yào bǎ jī wài pó de qī gè wěn gěi
答应了笨笨猪，要把鸡外婆的七个吻，给
qī zhī xiǎo jī dài huí qù tā xiàn zài yǒu diǎnr hòu huǐ gāng
七只小鸡带回去，他现在有点儿后悔刚
cái dā ying de tài shuǎng kuai le
才答应得太爽快了。

dā ying bié ren de shì jiù yī dìng yào zuò dào
“答应别人的事，就一定要做到！”
xiǎo huī láng jué xīn fàng qì nà chǎng jīng cǎi sǐ le de
小灰狼决心放弃那场“精彩死了”的
zú qiú bǐ sài bǎ jī wài pó de wěn gěi qī zhī xiǎo jī dài huí
足球比赛，把鸡外婆的吻给七只小鸡带回

qù
去。

kuài dào huān lè cūn zhuāng de shí hou yī gè bái sè de
快到欢乐村庄的时候，一个白色的
yǐng zi zài tā yǎn qián yī shǎn zài yī kuài dà shí tou hòu bian bù
影子在他眼前一闪，在一块大石头后边不
jiàn le
见了。

xiǎo huī láng qiāo qiāo de rào dào dà shí tou hòu miàn tōu tōu
小灰狼悄悄地绕到大石头后面，偷偷
yī kàn yuán lái shì bái tù mèi mei
一看，原来是白兔妹妹。

nǐ hǎo
“你好！”

xiǎo huī láng jǐn liàng shǐ zì jǐ de shēng yīn wēn hé yī
小灰狼尽量使自己的声音温和一
xiē
些。

bái tù mèi mei jīng huāng de táo mìng
白兔妹妹惊慌地逃命。

xiǎo huī láng jǐn zhuī zhe
小灰狼紧追着。

bié pǎo wǒ bù huì shāng hài nǐ de
“别跑，我不会伤害你的！”

bái tù mèi mei cái bù huì tīng
白兔妹妹才不会听
tā de guǐ huà ne tā cóng xiǎo tīng
他的鬼话呢！她从小听

mā ma jiǎng de gù shi quán dōu shì guān yú tù zi hé láng de
妈妈讲的故事，全都是关于兔子和狼的，
zǒng shì láng qī fu tù zi de suǒ yǐ jǐn guǎn xiǎo huī láng yī
总是狼欺负兔子的。所以，尽管小灰狼一
jiā zhù jìn le huān lè cūn zhuāng bái tù mèi mei yī jiā yě zǒng
家住进了欢乐村庄，白兔妹妹一家也总
shì bì zhe tā men
是避着他们。

xiǎo huī láng zhuō zhù le bái tù mèi mei kě shì lì jí fàng
小灰狼捉住了白兔妹妹，可是立即放
kāi le tā tā men miàn duì miàn de zhàn zhe zhàn de hěn jìn
开了她，他们面对面地站着，站得很近。

nǐ yào chī diào wǒ ma
“你要吃掉我吗？”

nǐ bù yào pà bái tù mèi mei wǒ zhǐ shì xiǎng qǐng
“你不要怕，白兔妹妹，我只是想请
nǐ bāng wǒ zuò yī jiàn shì
你帮我做一件事。”

xiàng bèn bèn zhū nà yàng xiǎo huī láng bào zhù bái tù mèi
像笨笨猪那样，小灰狼抱住白兔妹
mei zài tā liǎn shang bā bā de wěn le qī xià qǐng bǎ
妹，在她脸上“叭叭”地吻了七下：“请把
zhè qī gè wěn dài gěi duō lái mī fā suō lā xī jiù shì nà
这七个吻，带给多来咪发梭拉西，就是那
qī zhī xiǎo jī
七只小鸡。”

zài xiǎo huī láng bào zhù bái tù mèi mei nà yī chà nà bái
在小灰狼抱住白兔妹妹那一刹那，白

兔妹妹已经被吓晕过去，所以小灰狼说的话，她根本没听见。

小灰狼一心想的是那场足球比赛，一点儿没感觉到白兔妹妹早已晕过去。他放下白兔妹妹，欢天喜地地跑了，赶去看那场“精彩死了”的足球比赛。

白兔妹妹躺在草地上，还没有醒过来。

小河里的白鹅大哥路过这里，看见了躺在草地上的白兔妹妹。他游上岸来，来到白兔妹妹的身边。

白鹅大哥抖抖身子，把身子上的水

sǎ zài bái tù mèi mei de liǎn shang
洒在白兔妹妹的脸上。

bái tù mèi mei xǐng guò lái fān shēn zuò zài cǎo dì shang
白兔妹妹醒过来，翻身坐在草地上。

nǐ gāng cái shēng bìng le ma
"你刚才生病了吗？"

bái tù mèi mei yáo yáo tóu gāng cái xiǎo huī láng wěn le wǒ
白兔妹妹摇摇头："刚才小灰狼吻了我。"

tā tái tóu kàn kàn tiān tiān lán de kě ài kàn kàn dì dì lǜ de kě ài kàn kàn huār huār hóng de kě ài
她抬头看看天，天蓝得可爱；看看地，地绿得可爱；看看花儿，花儿红得可爱。

zhè shì jiè zhēn kě ài
"这世界真可爱！"

shì ya zhè shì jiè zhēn kě ài
"是呀，这世界真可爱！"

bái é dà gē yǐ wéi bái tù mèi mei zài shuō mèng huà suí shēng fù hè dào
白鹅大哥以为白兔妹妹在说梦话，随声附和道。

bái é dà gē nǐ yě fēi cháng fēi cháng de kě ài
"白鹅大哥，你也非常非常的可爱！"

bái tù mèi mei tū rán zhāng kāi shuāng bì bào zhù bái é
白兔妹妹突然张开双臂，抱住白鹅

cháng cháng de bó zi zài tā liǎn shang bā bā de wěn le
长长的脖子，在他脸上“叭叭”地吻了
qī xià duō lái mī fā suō lā xī
七下：“多来咪发梭拉西！”

bái tù mèi mei qīng yíng de tiào kāi le
白兔妹妹轻盈地跳开了。

wǒ kě ài ma bái é dà gē de jiǎo bù qīng piāo piāo
“我可爱吗？”白鹅大哥的脚步轻飘飘
de tā jué de zì jǐ kuài yào fēi qǐ lái le wǒ fēi cháng
的，他觉得自己快要飞起来了，“我非常
fēi cháng kě ài
非常可爱！”

bái é dà gē chóng xīn huí dào xiǎo hé li tū rán tā
白鹅大哥重新回到小河里。突然，他
de yǎn jing yī liàng xīnr kuài lè de tiào qǐ lái
的眼睛一亮，心儿快乐地跳起来。

bái é dà gē kàn jiàn shén me le
白鹅大哥看见什么了？

yī wèi jùn měi de bái é gū niang zhèng huǎn huǎn de cháo
一位俊美的白鹅姑娘，正缓缓地朝
zhè biān yóu guò lái zhè kě shì bái é dà gē xīn li ài liàn le
这边游过来。这可是白鹅大哥心里爱恋了
hǎo jiǔ de bái é gū niang a tā yī zhí tài dǎn qiè tā cóng
好久的白鹅姑娘啊！他一直太胆怯，他从
lái méi yǒu yǒng qì xiàng tā biǎo bái zì jǐ de ài qíng
来没有勇气向她表白自己的爱情。

dàn shì xiàn zài bái é dà gē yǒu le zú gòu de zì
但是现在，白鹅大哥有了足够的自
xìn wǒ fēi cháng fēi cháng de kě ài tā jìng zhí cháo bái é
信：我非常非常的可爱！他径直朝白鹅
gū niang yóu qù
姑娘游去。

bái é gū niang hài xiū de dī xià le tóu qīng qīng lǜ
白鹅姑娘害羞地低下了头。清清绿
shuǐ yìng zhe tā wān wān de bó zi yōu měi jí le
水映着她弯弯的脖子，优美极了。

bái é dà gē yóu dào bái é gū niang de shēn biān xiàng
白鹅大哥游到白鹅姑娘的身边，像
bái tù mèi mei qīn wěn tā yī yàng tā shēn guò tóu qù zài bái
白兔妹妹亲吻他一样，他伸过头去，在白
é gū niang de liǎn shang wěn le qī xià duō lái mī fā suō lā
鹅姑娘的脸上吻了七下："多来咪发梭拉
xī
西！"

tiān tiān dōu zài pàn wàng de shí kè zhōng yú lái lín le
天天都在盼望的时刻终于来临了！

bái é gū niang bì shàng tā nà hán qíng mò mò de yǎn
白鹅姑娘闭上她那含情脉脉的眼
jing xìng fú de zài bái é dà gē liǎn shang yě wěn le qī
睛，幸福地在白鹅大哥脸上，也吻了七
xià duō lái mī fā suō lā xī
下：“多来咪发梭拉西！”

wǒ ài nǐ
“我爱你！”

bái é dà gē bǎ zǎo gāi duì bái é gū niang shuō de
白鹅大哥把早该对白鹅姑娘说的
huà shuō le chū lái
话，说了出来。

wǒ yě ài nǐ
“我也爱你！”

bái é gū niang yě bǎ jiǔ jiǔ cáng zài xīn li de huà
白鹅姑娘也把久久藏在心里的话，
shuō le chū lái
说了出来。

tā men jǐn jǐn de yī wēi zài yī qǐ cháng cháng de bó
他们紧紧地依偎在一起，长长的脖
zi chán rào zài yī qǐ jiù zhè yàng nǐ wěn wěn wǒ chàng yī
子缠绕在一起，就这样你吻吻我，唱一
shēng duō lái mī fā suō lā xī wǒ wěn wěn nǐ chàng yī
声“多来咪发梭拉西”！我吻吻你，唱一
shēng duō lái mī fā suō lā xī
声“多来咪发梭拉西”！

tiān shàng de bái yún zuì le zuì chéng yī piàn piàn dì
天上的白云醉了，醉成一片片；地
shang de méi gui zuì le sàn fā zhe yòu rén de qīng xiāng xiǎo hé
上的玫瑰醉了，散发着诱人的清香；小河
zuì le dàng qǐ xìng fú de lián yī yī quān quān
醉了，荡起幸福的涟漪一圈圈……

bái é dà gē hé bái é gū niang zài yě bù yuàn fēn
白鹅大哥和白鹅姑娘再也不愿分
kāi tā men yào lì kè jǔ xíng hūn lǐ
开，他们要立刻举行婚礼。

shù shang de xiǎo niǎor xián qǐ yī piàn piàn hóng yè dàng
树上的小鸟儿衔起一片片红叶，当
zuò hūn lǐ de qǐng jiǎn sàn fā gěi huān lè cūn zhuāng de cūn mín
做婚礼的请柬，散发给欢乐村庄的村民
men
们。

jī mā ma méi yǒu qǐng shéi qù gěi qī gè xiǎo táo qì dāng lǎo shī
5.鸡妈妈没有请谁去给七个小淘气当老师 （ ）

māo mī mī yīng wǔ bèn bèn zhū gǒu wāng wāng
A.猫咪咪 B.鹦鹉 C.笨笨猪 D.狗汪汪

bāng zhù bèn bèn zhū jiǎn féi de shì
6.帮助笨笨猪减肥的是 （ ）

hóng gōng jī bái é qiǎo qiǎo zhū māo mī mī
A.红公鸡 B.白鹅 C.巧巧猪 D.猫咪咪

bèn bèn zhū shì zěn yàng bāng zhù lù mèi mei zhàn qǐ lái de
7.笨笨猪是怎样帮助鹿妹妹站起来的 （ ）

cǎi jí tè shū cǎo yào qǐng yī shēng zhěn zhì
A.采集特殊草药 B.请医生诊治

bāng zhù lù mèi mei liàn xí yòng guǎi zhàng zhī chēng
C.帮助鹿妹妹练习 D.用拐杖支撑

bèn bèn zhū cóng bǔ liè jiā zi xià jiě jiù de shì
8.笨笨猪从捕猎夹子下解救的是 （ ）

xiǎo hú li dà huī láng xiǎo hóu zi cì wei
A.小狐狸 B.大灰狼 C.小猴子 D.刺猬

huān lè cūn zhuāng de jiàn zhù shè jì shī shì
9.欢乐村庄的建筑设计师是 （ ）

hēi māo jǐng zhǎng lù mā ma
A.黑猫警长 B.鹿妈妈

hú li xiān sheng lǎo shān yáng
C.狐狸先生 D.老山羊

qī gè xiǎo táo qì sòng gěi jī wài pó de lǐ wù zhōng bù bāo kuò
10.七个小淘气送给鸡外婆的礼物中不包括（ ）

yī tiáo qīng chóng wǔ cǎi de shí tou
A.一条青虫 B.五彩的石头

qī gè wěn tóng líng dang
C.七个吻 D.铜铃铛

chuǎng guān chéng gōng qǐng jìn rù dì èr guān
闯关成功，请进入第二关。

dì èr guān
No.2 第二关

zhì huì dà bǐ pīn
智慧大比拼

挑战系数★★
闯关时限120秒

ài kàn shū de māo mī mī jué de bèn bèn zhū de nǎo guā bù líng huó yú
爱看书的猫咪咪觉得笨笨猪的脑瓜不灵活，于
shì jiù shí bù shí de chū yī xiē tí mù ràng bèn bèn zhū dòng dòng nǎo jīn
是就时不时地出一些题目，让笨笨猪动动脑筋。

zhè tiān māo mī mī cóng yī běn shū shang kàn dào yī dào yǒu qù de tí
这天，猫咪咪从一本书上看到一道有趣的题
mù jiù lái kǎo bèn bèn zhū zhè dào tí mù hěn jiǎn dān ò māo mī mī
目，就来考笨笨猪。“这道题目很简单哦，”猫咪咪
shuō qǐng wèn shén me dōng xi míng míng shì nǐ de bié ren què yòng de
说，“请问，什么东西明明是你的，别人却用得
bǐ nǐ duō de duō
比你多得多？”

bèn bèn zhū hān hān de xiào zhe shuō wǒ de rèn hé dōng xi dōu yuàn
笨笨猪憨憨地笑着说：“我的任何东西都愿
yì gěi péng you men yòng a
意给朋友们用啊。”

māo mī mī jí le nǐ rèn zhēn xiǎng yī xiǎng hǎo bù hǎo
猫咪咪急了：“你认真想一想好不好！”

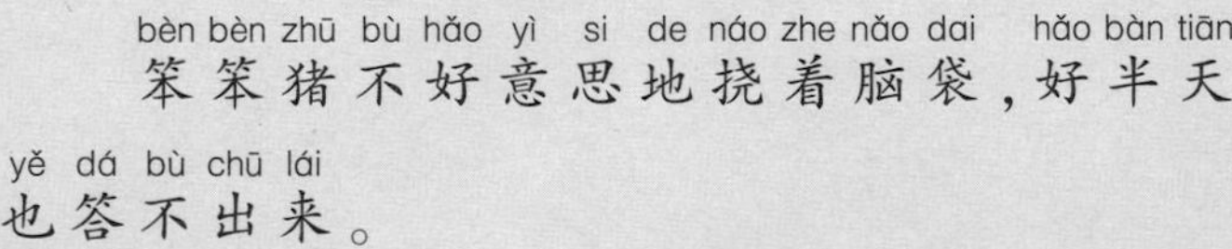

bèn bèn zhū bù hǎo yì si de náo zhe nǎo dai hǎo bàn tiān
笨笨猪不好意思地挠着脑袋，好半天
yě dá bù chū lái
也答不出来。

nǐ néng bāng bèn bèn zhū xiǎng chū dá àn ma
你能帮笨笨猪想出答案吗？

chuǎng guān chéng gōng qǐng jìn rù dì sān guān
闯关成功，请进入第三关。

No.3 第三关 趣味游乐园

dì sān guān
第三关
qù wèi yóu lè yuán
趣味游乐园

挑战系数★★★
闯关时限120秒

bèn bèn zhū hé guāi guāi xióng yī qǐ gài le yī zuò qiǎo kè lì bǐng wū
笨笨猪和乖乖熊一起盖了一座巧克力饼屋。
zài zhè ge wū zi li shuì guo jiào de xiǎo dòng wù dōu zuò le xiāng xiāng tián tián
在这个屋子里睡过觉的小动物，都做了香香甜甜
de mèng lǎo shǔ jī jī hé zī zī yī lù wén zhe xiāng wèi zhǎo lái le shàn
的梦。老鼠唧唧和吱吱一路闻着香味找来了。善
liáng de bèn bèn zhū tóng yì tā liǎ zài wū zi li zhù yī gè wǎn shang
良的笨笨猪同意他俩在屋子里住一个晚上。

qǐng nǐ rèn zhēn guān chá xià miàn de liǎng zhāng tú zǐ xì zhǎo yī zhǎo
请你认真观察下面的两张图，仔细找一找
yǒu shén me dì fang bù tóng yī gòng yǒu chù bù tóng ò
有什么地方不同？一共有10处不同哦！

gōng xǐ nǐ chéng gōng chuǎng guò běn shū suǒ yǒu guān qiǎ
恭喜你成功闯过本书所有关卡，

qǐng zài jiē zài lì yíng jiē xià yī běn shū de tiǎo zhàn
请再接再厉，迎接下一本书的挑战！

yīng táo yuán
樱桃园
jù lè bù
俱乐部

yīng táo men qǐng zhù yì le nǐ xiǎng dé dào yáng hóng yīng qīn bǐ qiān míng
樱桃们请注意了，你想得到杨红樱亲笔签名

de zhào piàn ma nǐ xiǎng dé dào gèng duō de zhè shào bǎn hǎo shū ma nǐ zhǐ yào
的照片吗？你想得到更多的浙少版好书吗？你只要——

wán chéng yīng táo yuán yáng hóng yīng zhù yīn tóng shū měi běn
- 完成“樱桃园·杨红樱注音童书”每本

shū zhōng de kuài lè dà chōng guān yóu xì jí qí quán tào shū gòng
书中的快乐大冲关游戏，集齐全套书共

zhāng bù tóng de yīng táo shū xiāng kǎ
12张不同的樱桃书香卡。

jiāng chōng guān dá àn hé yīng táo shū xiāng kǎ lián tóng tián xiě wán
- 将冲关答案和樱桃书香卡连同填写完

zhěng de yīng táo dàng àn jì zhì
整的樱桃档案寄至：

zhè jiāng shěng háng zhōu shì tiān mù shān lù hào
浙江省杭州市天目山路40号

zhè jiāng shào nián ér tóng chū bǎn shè wén xué biān jí shì
浙江少年儿童出版社　文学编辑室

yīng táo yuán shōu
樱桃园　收

yóu biān
邮编：310013

nǐ jiù kě yǐ jiā rù yīng táo yuán jù lè bù wǒ men jiāng cóng yīng táo men jì
你就可以加入“樱桃园俱乐部”。我们将从樱桃们寄

lái de zī liào zhōng tiāo xuǎn wèi xìng yùn huì yuán zèng sòng yáng hóng yīng qīn bǐ qiān
来的资料中，挑选100位幸运会员，赠送杨红樱亲笔签

míng zhào hé jià zhí yuán de zhè shào bǎn tú shū
名照和价值100元的浙少版图书。

yīng táo dàng àn
樱桃档案

xìng míng 姓名：__________ xìng bié 性别：__________ nián líng 年龄：__________

xué xiào 学校：____________________ bān jí 班级：__________

ài hào 爱好：______________________________

zuì ài dú yáng hóng yīng de nǎ yī běn tú shū
最爱读杨红樱的哪一本图书：__________________

zuì xiǎng duì yáng hóng yīng shuō de yī jù huà
最想对杨红樱说的一句话：__________________

____

xiáng xì dì zhǐ hán yóu biān
详细地址（含邮编）：______________________

____

lián xì diàn huà 联系电话：__________ huò 或 MSN或QQ号 hào：__________

běn shū dá àn qǐng jiàn jīn guā tāng yín guā tāng yī shū
本书答案请见《金瓜汤，银瓜汤》一书。

méi yǒu wěi ba de láng dá àn
《没有尾巴的狼》答案：

dì yī guān
第一关 1.狐狸尾巴 2.兔子美、兔子娇 3.陶陶 4.陶陶的爷爷 5.玫瑰花 6.花床单 7.三十、五千 8.彩票 9.神水 10.菜地、果园、鱼塘

(hú li wěi ba / tù zi měi tù zi jiāo / táo táo / táo táo de yé ye / méi gui huā / huā chuáng dān / sān shí wǔ qiān / cǎi piào / shén shuǐ / cài dì guǒ yuán yú táng)

dì èr guān
第二关 木材a点燃一头，b点燃两头。等b烧完时，时间过去了三十分钟；再把a剩下的另一头也点燃。从这时起到a烧完的时间就是十五分钟。

(mù cái diǎn rán yī tóu, diǎn rán liǎng tóu. děng shāo wán shí, shí jiān guò qù le sān shí fēn zhōng; zài bǎ shèng xià de lìng yī tóu yě diǎn rán. cóng zhè shí qǐ dào shāo wán de shí jiān jiù shì shí wǔ fēn zhōng.)

dì sān guān
第三关

图书在版编目（CIP）数据

亲爱的笨笨猪/杨红樱著.一杭州:浙江少年儿童出版社,2010.5(2011.2重印)
(樱桃园·杨红樱注音童书)
ISBN 978-7-5342-5884-8

Ⅰ.①亲… Ⅱ.①杨… Ⅲ.①汉语拼音-儿童读物 Ⅳ.①H125.4

中国版本图书馆CIP数据核字(2010)第049925号

樱桃园·杨红樱注音童书
亲爱的笨笨猪
杨红樱/著

责任编辑 平 静
美术编辑 周翔飞
装帧设计 小飞侠
插 图 BESOM
责任校对 倪建中
责任印制 吕 鑫

浙江少年儿童出版社出版发行
地址:杭州市天目山路40号
网址:www.ses.zjcb.com
杭州富春印务有限公司印刷
全国各地新华书店经销
开本 889×1300 1/32
印张 6.3125
印数 70001—100000
2010年5月第1版
2011年2月第6次印刷
ISBN 978-7-5342-5884-8
定价：17.00元
(如有印装质量问题，影响阅读，请与承印厂联系调换)